VÆRD AT

Kenno Simonsen

VÆRD AT CO-VIDE

VÆRD AT CO-VIDE

Sats og omslag: Books on Demand GmbH
Forlag: BoD – Books on Demand, Hellerup, Danmark
Fremstilling: BoD – Books on Demand, Norderstedt, Tyskland

Bogen er fremstillet efter on-Demand-proces
ISBN 9788743031253

Indhold

Forord

Lige først i marts 2020 sad jeg og snakkede med ejeren af det lille guest-house på den thailandske ø Koh Pha-Ngan, hvor jeg over en længere periode havde lejet et værelse.

"Hvad tror du der sker med den der nye virus, der er brudt ud i Kina? Tror du, det er noget, vi skal bekymre os om?", spurgte han. Han havde hørt rædselshistorierne fra Wuhan. Ud fra fremstillingen i medierne kunne man nemt få det indtryk, at folk på det nærmeste faldt døde om på gaderne som fluer.

"Det tror jeg ikke", svarede jeg. Jeg har altid haft en vis interesse for biologi, og havde på nettet fulgt med i den seneste måneds udvikling. *"Der er en dødelighed på 3,7%. Men den kommer til at falde. Lige nu er det kun de rigtigt syge, man kender til. Men det er en ny slags "tunet forkølelsesvirus", og der er sikkert mange tilfælde, man slet ikke kender til. Derfor tæller de ikke med i statistikken. Når man begynder at teste flere, vil dødeligheden sikkert falde. Det skulle ikke undre mig, om vi kom helt ned på omkring 1%. Det er et nyt virus, så mange af os vil sikkert få den. Men det vil kun være farligt for nogle få."*

De følgende måneder skulle det vise sig, at jeg havde fuldstændig ret i forhold til dødstal og epidemiudvikling. Dødeligheden er nu faldet – faktisk til langt under 1%.

Til gengæld var min vurdering af, om der var grund til bekymring, vist så langt fra virkeligheden, som den kunne være. Jeg havde simpelt hen ikke fantasi til at forestille mig, at man ville lukke verden ned på grund af et virus, der have en så relativt lav dødelighed. Og jeg havde slet ikke fantasi til at forestille mig, at man ville gentage nedlukningerne om og om igen, efter at mortaliteten var faldet til under 1%.

Jeg kom tilbage til Danmark, netop som den første nedlukning blev varslet. I min optik var det lidt af en overreaktion. På den anden side; det virkede fornuftigt at begrænse smitten så meget, at sundhedsvæsnet ikke blev overbelastet. Men ligefrem gennemføre hastebehandlede love, der for en længere periode satte demokratiet på den anden ende og gav stort set uindskrænket magt til en mindretalsregering, virkede allerede på det tidspunkt noget melodramatisk på mig.

Som månederne gik hen over sommeren, blev min forundring større og større. Det var, som om dramaet ingen ende ville tage. Samtidig syntes al sund fornuft at være suget ud af nyhedsstrømmen – den hang simpelt hen ikke sammen med den biologi, jeg havde lært på universitetet, da jeg først i 1980'erne læste naturvidenskab et par år.

Pludselig tvivlede man på, om man nu også udviklede antistoffer mod det nye virus, hvis man blev inficeret. Man betvivlede med andre ord, at vores immunforsvar ville reagere på den måde, man ellers kendte i forhold til andre eksisterende vira. Dernæst den naturlige følge: Ville vi overhovedet kunne udvikle flokimmunitet mod det nye corona virus? Jeg havde svært ved at tro mine egne ører, når jeg hørte udtalelser fra sundhedseksperter, der stred lodret mod fundamental biologi.

Efterhånden stod det klart for mig, at de oplysninger, vi fik via medierne, måtte være orkestreret af politikerne. At de ikke hvilede på et sundhedsfagligt grundlag, selvom det var sundhedseksperter, der kom med dem.

På et tidspunkt forfaldt jeg i en facebookdebat, under et opslag af Mogens Jensen, til at anbefale regeringen at tage et aftenskolekursus i basal mikrobiologi. Det fik jeg en del nedladende kommentarer for. OK – min kommentar var da også provokerende, men den udtrykte den mangel på sundhedsfagligt fundament, håndteringen bar præg af. Jeg blev dog hurtigt klar over, at debat-strenge på facebook ikke egnede sig til en diskussion af, om der var biologisk belæg for de tiltag, regeringen indførte.

En basal forståelse for mikrobiologi er imidlertid forudsætningen for at vurdere, om virus er så farligt, at det kræver tiltag, samt hvilke tiltag, der i givet fald er relevante. Denne bogs første del præsenterer således den fundamentale biologiske viden, jeg ville ønske havde afspejlet sig i håndteringen af corona.

Bogens første del skal således give et indblik i, hvilke biologiske komponenter, der er i spil. I hvordan et virus virker i forhold til de celler, det angriber. Hvordan immunforsvaret tager kampen op mod virus. Samt i, hvad flokimmunitet er, og hvordan vacciner virker.

Med biologien som baggrund diskuterer jeg i de følgende dele de tiltag, der har været iværksat. Hvor er der uoverensstemmelser med den biologiske virkelighed, som virus er underlagt, og som afstikker rammerne for, hvordan en pandemi udvikler sig? Hvad er konsekvenserne af dem? Til sidst giver jeg mit bud på, hvordan pandemien alternativt kunne være håndteret, samt på hvad jeg mener, der bør gøres i den situation, vi befinder os i.

Hvis den biologiske del virker lidt "tung", anbefaler jeg at gå videre til debatten i de følgende dele af bogen, og så vende tilbage til første del, hvis der er argumenter, man ønsker at se baggrunden for.

Men inden jeg går videre til en introduktion af det biologiske fundament, vil jeg benytte lejligheden til at takke cand. psych Hannah Natalie Curden og phd. i biologi Kenneth Andersen for gennemlæsning, feedback og forslag til rettelser. Normalt bruger jeg 3-4 år på at skrive en bog. Denne er blevet til på 3-4 måneder, så det har været af afgørende betydning at få øjne udefra til at gennemlæse manuskriptet, inden jeg udgav bogen.

Den hurtige proces gør, at der stadigvæk kan være steder, hvor jeg er kommet til at gentage mig selv. Det håber jeg, at du som læser vil tilgive. I en verden, hvor regeringen kører, mens den asfalterer, og hvor vacciner sendes på markedet uden den vanlige forudgående testning, har jeg fundet det nødvendigt at få gjort bogen tilgængelig hurtigst muligt. Formålet er at få skabt debat på et oplyst grundlag.

I skyndingen - som kunne være berettiget, hvis menneskeheden havde stået overfor en virkelig stor trussel - har man valgt at springe let og elegant over den demokratiske debat, der normalt går forud for vigtige beslutninger i vort samfund. Men dermed er demokratiet de facto sat ud af kraft. Demokrati er jo ikke blot at sætte et kryds på en seddel hvert fjerde år. Det er at gøre det på et oplyst grundlag – efter forudgående debat. Nu, hvor covid19 har vist sig langt mindre farlig end først antaget, er det vigtigt, at vi får taget den demokratiske debat.

Når jeg således har udgivet bogen noget hurtigere, end jeg havde kunnet ønske, er det fordi, der ikke er meget mening i at skabe debat, hvis først skaden er sket.

Hvis ikke vi tager den nødvendige debat nu, risikerer vi for bestandigt at skabe en dystopisk verden, hvor demokratiet de facto er afskaffet, og hvor en snæver magtelite bestemmer hvilke emner, der må debatteres, og hvilke, der er tabu. Vi risikerer med andre ord sætte mange af de fremskridt, der var et resultat af oplysningstiden, over styr. Det må for alt i verden ikke ske.

I

Biologi

1
Hvad er en celle?

En celle er den mindste levende enhed, vi kender. Cellers opbygning varierer for forskellige biologiske organismer, men alle menneskets celler er, i lighed med alle andre dyr, bestående af det, man kalder *eukaryotiske* – celler, der er forsynet med cellekærne.

Menneskets krop består således af milliarder af eukaryotiske celler, der er specialiseret til at varetage forskellige opgaver. Fælles for dem alle er som sagt, at de i centrum består af en cellekerne, der indeholder 23 kromosompar. Hvert kromosom består af DNA-strenge, og tilsammen udgør de vores genom – vores fulde DNA profil.

De 23 kromosompar er til stede i alle celler, uanset om der er tale om hudceller, hjerneceller eller muskelceller. Undtagelsen er dog vores kønsceller, hvor cellekernen kun indeholder 23 enkelte kromosomer, som så bliver parret med partneres kønscelle, der ligeledes indeholder 23 enkeltkromosomer, når vi formerer os. Derved får også fosteret 23 kromosompar i hver enkelt kropscelle.

Cellekernen svømmer rundt i en væske kaldet *cytoplasma*. Cytoplasmaet indeholder en del andre cellebestanddele, der skal holde cellen i live, få den til at fungere, og for de flestes vedkommende sætte den i stand til at dele sig. Det drejer sig bl.a. om *lysosomer*, der er cellens interne fordøjelse, *mitokondrier*, der

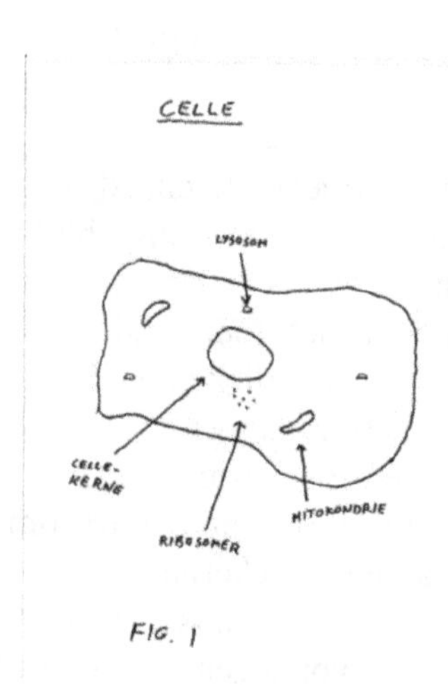

Fig. 1 viser cellen med kerne, ribosomer, mitokondrier og lysosomer, der svømmer rundt i cytoplasmaet.

sørger for cellens energiforsyning og *ribosomer*, der står for opbygningen af nyt DNA.

Yderst ligger cellemembranen, der holder sammen på cellen og afgrænser den fra omverdenen.

At have en cellekerne med 23 kromosompar, samt en ydre grænse bestående af en cellemembran, er således fælles for alle kropsceller.

Det, der varierer for de forskellige celler, er således sammensætningen af øvrige elementer i cytoplasmaet.

Der er der forskel på f.eks. en hudcelle og en hjernecelle.

For at menneskekroppen skal kunne udvikle sig fysisk og forny sig selv, skal cellerne være i stand til at dele sig, og det er her super vigtigt, at den enkelte celle deler sig i to nye, der er nøjagtig ens – altså indeholder nøjagtige kopier af individets genom bestående af helt ens kromosomer. Sker det ikke, går der koks i systemet. Et sundt og raskt immunforsvar vil derfor hurtigt gøre det af med en celle, hvis den indeholder DNA, der afviger fra vores genom. I de tilfælde, hvor det ikke sker, og en celle med en afvigende DNA kode får lov til at masseproducere sig selv, fører det til sygdom. Det er derfor af afgørende betydning, at der ikke sker fejl i den genetiske kode, når cellerne deler sig.

Denne basale viden om menneskets celler er vigtig for at forstå, hvad der sker, når vi angribes af et virus.

2
Hvad er et virus, og hvordan fungerer det?

Et virus er et stykke RNA eller DNA, der er indlejret i en proteinkappe. Et virus er ikke i stand til at formere sig selvstændigt. Det er afhængigt af at kunne snylte på en vært, for at formering kan ske.

Så når et virus kommer ind i kroppen, forsøger det at finde en egnet celle at snylte på. Det sætter sig fast på en cellemembran, bryder den og skyder sin RNA eller DNA streng ind i cellen. Den nye streng finder vej til kærnen, og overtager nu styringen med cellens opbygning af DNA, således at den i stedet for at reproducere den DNA-kode, vi har i genomet, nu reproducerer den RNA eller DNA streng, der er virus' arvemasse. Når den har produceret en stor nok mængde, ødelægges cellekerne og cellemembran, og i stedet for en celledeling sker der nu en spredning af virus' RNA eller DNA, som så kan angribe nye celler med henblik på formering. På den måde er en kædereaktion sat i gang. Man kan således sige, at når en celle inficeres af et virus, omdannes cellen til en fabrik, der masseproducerer den inficerende virus.

Hvis ikke vores immunforsvar får stoppet kædereaktionen, vil vi før eller siden dø af virus, idet den på et tidspunkt vil have angrebet så mange celler i givne organer, at vi ikke kan overleve.

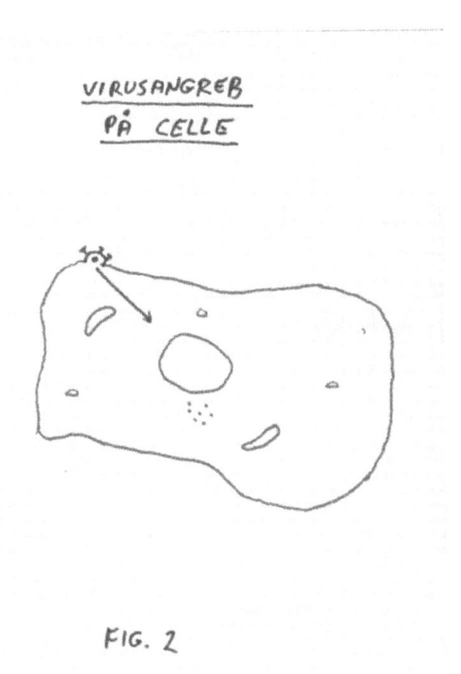

Fig. 2 viser et virus, der angriber cellen. Pilen indikerer virus' RNA eller DNA, der overføres til cellekernen. Tilbage på cellemembranen sidder antigenet.

For nogle virusinfektioner lykkes det immunforsvaret at nedkæmpe virus helt. Det er f.eks. tilfældet for influenza, hvor vi kommer helt af med sygdommen og endda – i alt fald for en tid – opnår immunitet.

I andre tilfælde får det blot bremset udviklingen, men ikke udryddet virus. Det er f.eks. tilfældet for herpes, hvor symptomerne kan forsvinde for så på et senere tidspunkt dukke op igen, når immunforsvaret af en eller anden grund er svækket. Derfor går herpes også under navnet forkølelsessår, da der ofte kommer angreb i forbindelse med forkølelser, hvor immunforsvaret om man så må sige bruger krudtet på noget mere vigtigt – nemlig at bekæmpe forkølelsen.

3
Mutationer

Noget, der hyppigt har været fremført fra myndigheders og politikeres side, for at understrege pandemiens alvor, er risikoen for mutationer. Vi hørte i januar 21 om den engelske variant B117, som nu er blevet dominerende i smitteudbredelsen. Det har været hævdet, at den var langt værre end den oprindelige virus-stamme, at den er mere smitsom, samt at den skulle have alvorligere forløb. I februar 21 blev den nykårede direktør for Statens Serum Institut, Henrik Ullum, citeret[1] for, at B117 skulle medføre 60% flere hospitalsindlæggelser end den oprindelige variant.

Sandheden var, at B117 var marginalt mere smitsom end den oprindelige variant, og at antallet af indlæggelser var faldet støt i den periode, hvor B117 var blevet den mest dominante stamme.

Det passer også fuldstændigt med det forventede billede. Sagen er den, at når et nyt virus springer fra en vært til en anden, er der plads til forbedring set fra virus' side. Det er egentlig egnet til at "bebo" en anden vært, for covid19's vedkommende formentlig en flager-mus. Derfor er der stor sandsynlighed for, at der hurtigt vil

---

1 Mørk, Pelle Lykkebo: 60 procent større risiko for indlæggelse med britisk mutation.

fremkomme mutanter, der er bedre rustet til at leve i det nye miljø. Det er derfor, vi oplever mange mutatio-ner, når et nyt virus gør sit indtog.

Det svarer lidt til, at da de første mennesker bevægede sig fra Det Afrikanske Kontinent til mere kolde egne i Europa og Asien, havde de formentligt mørk hud, der beskyttede dem mod den brændende sol i Afrika. Men i Europa var det ikke nødvendigt med sort hud, for her var mindre sol. Ja, faktisk var det en direkte ulempe, for den sorte hud beskyttede netop mod solen ved ikke at overproducere D-vitamin. Men i det mere sparsomme solskin i Europa blev den sorte hud en ulempe. Der var behov for at udnytte den smule solskin, man fik, bedst muligt. Derfor overlevede de mutanter, der havde lysest hud, og som dermed producerede mest D-vitamin. Efterhånden betød det, at europæerne fik ganske lys hud. Det var simpelt hen *survival of the fittest* – evolutionær udvikling i praksis. De var de bedst tilpassede til de nye omgivelser.

På samme måde har de varianter af covid19, der er bedre egnet til at leve med mennesket som vært, gode kår for overlevelse. Nye virus varianter vil derfor være hyppige den første tid, hvor virus florerer mellem os, efter at have skiftet vært. Også i dette tilfælde er der tale om *survival of the fittest* – her blot på mikrobeplan.

Skal vi være bange for mutanterne? Overordnet set nej! Der kan selvfølgelig opstå en mutation, der reelt er mere farlig end sin forgænger, men den vil næppe vinde stor udbredelse. Det er nemlig ikke i virus' interesse at blive mere farlig for sin vært. Tværtimod! Hvis værten dør, svarer det jo til, at sætte ild til det hus, man bor i, mens man selv er i det. Virus' mulighed for at formere sig stopper i det øjeblik, værten dør.

Til gengæld er det i virus' interesse at sprede sig. Derfor er en variant, der bedre spreder sig fra individ til individ, tilbøjelig til at overleve.

Det er præcis, hvad der er sket med B117. Den smitter lettere, men den skader ikke sin vært mere end den oprindelige virusvariant.

Det giver således ikke meget mening at sætte det store alarmberedskab i gang, fordi der er opstået en engelsk, sydafrikansk, brasiliansk eller anden variant. Det mest sandsynlige er, at nye varianter muligvis smitter lidt nemmere end de tidligere, men at forløbene udvikler sig til at blive mildere og mildere.

4
Hvad er en pandemi, og hvordan forløber den?

Definitioner:

Ved en *epidemi* forstås, at man har en smitsom sygdom, der spredes hurtigt indenfor et afgrænset område.

Spreder epidemien sig til flere verdensdele, taler man om en *pandemi*.

Bider en epidemi eller pandemi sig fast, således at det virus eller den bakterie, der forårsager sygdommen, ikke udryddes, men er konstant til stede, taler man om en *endemi*. Har en epidemi udviklet sig endemisk vil det således sige, at man er nødt til at lære at leve med smitstoffets konstante tilstedeværelse, og at sygdommen efter al sandsynlighed fra tid til anden vil føre til større eller mindre epidemier.

Forløb:

De hyppigste epidemier, vi kender i Danmark, er de såkaldte sæsoninfluenzaer. Smitsomme sygdomme spreder sig på vore breddegrader bedst i vintermånederne. Det skyldes primært, at vi der opholder os indendørs det meste af tiden, og når vi er flere mennesker forsamlede i små, lukkede rum, er forekomsten af smitstoffet mere koncentreret end i sommermånederne, hvor mange aktiviteter foregår udendørs, og hvor vi lufter mere ud end i de kolde måneder.

Dertil kommer, at vores naturlige modstandskraft er større i sommermånederne, da vi helt enkelt lever sundere der end i vintermånederne. I sommermånederne får vi mere frisk luft og dermed D-vitamin fra solen, mange af os er mere fysisk aktive, og kosten er mere vitaminrig på den årstid.

For pandemier ser det lidt anderledes ud. De florerer i bølger – som regel 2 eller 3 af slagsen. Bølgerne så at sige ruller hen over verdens lande. Bølgetoppene rammer tidsmæssigt forskelligt fra land til land, men her er det mere afhængigt af landets geografiske placering end af årstider. Også håndteringen af pandemien – de tiltag, der har været foretaget for at stoppe smittespredning – har indflydelse på timingen af bølgerne. F.eks. har bølgerne under covid19 pandemien ramt tidsmæssigt forskudt i Danmark og Sverige. Dette må tilskrives, at selve håndteringen af covid19 har været meget forskellig i de to lande. (Mere om dette i kap. 18).

5
Immunforsvaret

Immunforsvaret er kroppens forsvar mod invasion af fremmede biologiske organismer såsom bakterier, virus, svampe og parasitter.

Det er et kompliceret system, der både omfatter en medfødt del og en erhvervet del. Det består af *T- og B-lymfocytter, komplementarproteiner, fagocytter/hvide blodlegemer* og en række antistoffer – de såkaldte *immunglobuliner*.

Vi vil her koncentrere os om den erhvervede del af immunforsvaret, da det er den del, der har været brugt til udregning af, hvornår vi ville kunne regne med naturlig flokimmunitet. Det er især T- og B-lymfocytterne, der her er interessante, da viden om disse cellers funktion er vigtig for forståelsen af kroppens måde at bekæmpe vira på, samt af hvordan de udviklede vacciner mod Covid19 fungerer. Men ikke blot i forhold til vaccinerne er kendskab til disse cellers funktion vigtig – de spiller også en afgørende rolle i forhold til at forstå, hvordan såvel individuel immunitet som flokimmunitet mod sygdommen opnås.

Når kroppen inficeres af et virus, er det T-lymfocytterne, der er immunforsvaret fortrop. Når en T-lymfocyt opdager en inficeret celle, slår den helt enkelt cellen ihjel. Derved ødelægges det produktionsanlæg, der er i gang med at masseproducere det inficerende virus.

For at T-lymfocytten dræber den inficerede celle, er det imidlertid en forudsætning, at den kan genkende det inficerende virus. Det gør den ved, at den identificerer den indtrængende virus' *antigen*, der sidder aflejret på cellens overflade (det stof, man søger efter i de såkaldte antigentests eller quick-tests). Det kan den, hvis man tidligere har været inficeret med det samme virus. Men også hvis man har været inficeret med et virus, hvor anti-genet ligner det, den nyindtrængende virus har, kan det i en del tilfælde aktivere T-lymfocytten. Når det sker, taler man om, at der er *krydsimmunitet* mellem de to vira.

Hvis virus når at sprede sig til et større antal celler, tilkaldes immunforsvarets næste tropper, *B-lymfocytterne*. B-lymfocytternes opgave er at danne *antistoffer* imod det givne virus.

Når de en gang har dannet antistof mod et givent virus, er de i stand til at huske det specifikke virus, og er derfor efterfølgende parate til at angribe med antistoffet, hvis den samme type virus på et senere tidspunkt atter skulle forsøge at inficere kroppen. Man har derfor et skærpet forsvar mod et givent virus, når man en gang har haft det – også selvom der måske ikke længere kan måles en tilstedeværelse af det givne antistof i blodet. I det tilfælde genkender B-lymfocytterne lynhurtigt det virus, man tidligere har været inficeret med, og har så at sige opskriften på antistof liggende klar.

6
Flokimmunitet

Siden corona-krisens start i marts 2020 har flokimmunitet været hyppigt nævnt som det, der skulle til, for at vi igen fik normale tilstande. Flokimmunitet har også været det, der op gennem historien har afsluttet alle tidligere pandemier.

Fra starten af regnede man med, at da Covid19 var en helt ny sygdom, så havde vi ingen naturlig modstandskraft mod den overhovedet. Med udgangspunkt i den antagelse regnede man hurtigt ud, at hvis vi skulle opnå flokimmunitet mod sygdommen, skulle omkring 60% af befolkningen smittes. Men hurtigt rejste spørgsmålet sig i pressen om, hvor vidt det overhovedet var muligt at opnå flokimmunitet mod covid19. Eller var Covid19 så speciel en sygdom, at den afveg fra alle tidligere pandemiske sygdomme ved, at flokimmunitet slet ikke kunne opnås?

Men hvad er flokimmunitet egentligt? Det korte svar er, at flokimmunitet opnås, når tilstrækkeligt mange har opnået en så stor modstandskraft mod sygdommen, at kontakt-tallet naturligt og uden restriktioner vil være mindre end 1. Eller sagt på en anden måde: Flokimmunitet betyder, at sygdommen ikke længere kan udvikle sig epidemisk. Det betyder altså ikke, som nogle tror, at sygdommen er helt udryddet i samfundet. Der kan sagtens være smittelommer, der betyder, at individider fra tid til anden smittes, men de vil gennemsnitligt give smitten videre til mindre end én.

For at en epidemi er i udvikling, skal det på tidspunktet givne kontakttal være højere end 1 – altså ensbetydende med, at en smittet videregiver smitten til mere end én anden person, og derved giver en stigende smittekurve. Falder kontakttallet til mindre end 1, er smittespredningen under afvikling.

Man kan opnå flokimmunitet på to – ja, egentlig tre – måder. Dels ved, at den naturlige immunitet (immunitet erhvervet gennem naturlig kontakt med virus) i samfundet gør, at kontakttallet falder til under 1. Eller man kan få tallet ned under 1 ved at vaccinere befolkningen. Endelig kan man bruge en kombinationsmodel, hvor man vaccinerer særligt udsatte grupper, mens man lader dem, for hvem sygdommen er relativt ufarlig, opnå immunitet ad naturlig vej.

Da man regnede ud, at 60% af befolkningen skulle være smittede, og dermed have opnået immunitet via antistoffer i kroppen, var det altså et udtryk for, at 60% af befolkningen skulle have været smittede for at kontakttallet – uden kunstig reduktion via restriktioner – ville ligge under 1.

Udregningen foretog man ud fra følgende formel:

$$FIM = 1 - (1 : NKT)$$

FIM står her for flokimmunitet, og NKT for det naturlige kontakttal – altså det kontakttal, vi ville have, hvis vi fører et helt normalt liv uden særlige epidemi restriktioner i samfundet.

Da 60% i ligningen omskrives til 0,6 (ud af 1), får vi altså:

$$0{,}6 = 1 - (1 : 2{,}5)$$

Man har således anslået det naturlige kontakttal (NKT) til at være 2,5.

Men er det reelt det naturlige kontakttal? Det spørgsmål må desværre stå ubesvaret. Jeg har forsøgt at finde frem til en opgørelse over det daglige kontakttal, men søgningen er endt blindt. Jeg husker dog på intet tidspunkt – heller ikke under hverken første eller anden bølges toppe - at have hørt om et kontakttal, der var så højt. Det højeste, jeg erindrer at have hørt, var omkring 2. Dermed ville ligningen for hvor mange, der skulle være immune overfor covid19 for at opnå flokimmunitet, altså stadig se noget mindre drastisk ud, og alene på den baggrund ende noget under de anslåede 60%.

Men også andre faktorer tyder på, at tallet for hvor mange, der skal smittes, inden flokimmunitet kan opnås ad naturlig vej, ligger endnu lavere.

I starten gik man som sagt ud fra, at vi absolut ingen forudgående modstandskraft havde mod covid19. Det har dog vist sig at være en fejlslutning, for det er jo langt fra alle, der smittes med sygdommen, selvom man har været i kontakt med en covid19-patient.

I september 2020 blev der bragt en artikel[2] i det anerkendte tidsskrift BMJ (British Medical Journal), der

2 BMJ 17/9-2020: *Covid-19: Do many people have pre-existing immunity?*

gav en mulig forklaring på, hvorfor nogle tilsyneladende havde en naturlig immunitet.

Man havde på en række universiteter verden over – bl.a. i England, Tyskland, Holland, Sverige, Spanien og Singapore – påvist, at T-lymfocytter fra personer, der ikke tidligere havde været eksponeret for covid19, alligevel reagerede på virus. At man med stor sikkerhed kunne fastslå, at personerne ikke havde haft forudgående kontakt til covid19 patienter, skyldtes, at man havde indhøstet T-lymfocytterne fra blodbanks-blod, der var aftappet, inden pandemien brød ud.

Andelen af T-lymfocytter, der reagerede på covid19 virus, varierede fra land til land. I de lande, hvor T-lymfocytterne var mest aktive, var der reaktion i 50% af tilfældene, mens det i de lande med lavest aktivitet var nede på 20%. Men humlen er, at der i samtlige de foretagne forsøg var T-lymfocytter, der reagerede mod Covid19 i et eller andet omfang.

Forskerne vurderede, at forskellene fra land til land skyldtes, at T-lymfocytterne reagerede på baggrund af krydsimmunitet erhvervet fra mødet med andre lignende vira. Og da antallet af lokale epidemier jo varierer fra land til land, giver dette en forklaring på de varierende tal for T-lymfocytternes aktivitet.

Det ændrer på hele billedet af, hvor mange der i et samfund skal have været smittede, for at flokimmunitet opnås. Beregningen med de 60% er jo baseret på, at vi ingen forudgående modstandskraft havde – at hele flokimmuniteten var afhængig af, at vi blev smittede, samt at smitten skulle spredes i kroppen, således at B-lymfocytterne blev aktiverede og dannede antistof.

Men hvis mellem 20 – 50% af os allerede stopper virusangrebet med vores T-lymfocytter, så skal antallet, der behøver at smittes og udvikle sygdommen for at flokimmunitet opnås, nedskrives tilsvarende.

I forhold til at opnå flokimmunitet er det jo underordnet, om denne opnås via aktivitet hos T- eller B-lymfocytterne. Hovedsagen er, at virusangrebet stoppes.

Hvor mange af os her i Danmark, der har krydsimmunitet fra andre sygdomme, der får vores T-lymfocytter til at angribe covid19 inficerede celler, vides mig bekendt ikke i skrivende stund (maj 2021). Men vi må regne med, at vi ligger et eller andet sted på skalaen mellem de 20% og de 50%, der er kendt fra studier verden over. Det betyder, at der i praksis er mellem 10% og 40% af de resterende af os, der skal opnå immunitet ad anden vej – naturlig smitte eller vaccine – for at vi opnår flokimmunitet.

Det vel at mærke hvis vi stadig går ud fra, at NKT ligger på 2,5. Er det tal i virkeligheden lavere, vil vi endvidere skulle nedskrive antallet, der skal opnå immunitet via smitte eller vaccine, endnu mere.

7
Vaccine-teknologier

Inden vi går i gang med at kigge på, hvad en vaccine er, og hvilke forskellige typer af vacciner, der findes, så lad mig slå fast, at jeg generelt er en stor fan af vacciner. Det, at vi er i stand til at forebygge alvorlige sygdomme effektivt via vacciner, er en af lægevidenskabens helt store landvindinger.

Når jeg har nogle kritikpunkter overfor de eksisterende covid19-vacciner, så er det således ikke, fordi jeg generelt er antivaxx'er. Tværtimod!

De nye vacciner adskiller sig imidlertid fra alle tidligere vacciner på nogle afgørende punkter, hvilket jeg skal vende tilbage til senere.

Formålet med en vaccine er at forbygge sygdomme. Det fungerer på den måde, at vores immunforsvar aktiveres ved at få det til at tro, at vi er ramt af en given sygdom. Når immunforsvaret oplever et angreb fra et givent virus, får det B-lymfocytterne til at udvikle et antistof mod det. Derved har vi allerede antistoffet i os, hvis vi på et senere tidspunkt reelt bliver angrebet af den sygdom, vi er vaccinerede imod. Antistofmængden reduceres ofte over tid, men selv efter, at man ikke længere er i stand til at måle antistoffet, kan vaccinationen have en forebyggende effekt, da lymfocytterne, som nævnt i kapitel 5, jo er i stand til at huske det givne virus samt opskriften på antistof.

Men lad os først se på, hvad en vaccine egentlig er, hvordan de vacciner, der er blevet udviklet før co-vid19, er fremstillet, og hvordan de aktiverer immun-forsvaret.

De svækkede levende vacciner

Den oprindelige måde at vaccinere på var at indsprøjte en mængde levende smitstof i svækket form. Svækkelsen hæmmede mikroberne nok til, at de ikke kunne formere sig i kroppen. Men mængden var til gengæld stor nok til, at lymfocytterne blev aktiverede, og kroppen dannede antistof mod det indsprøjtede smitstof.

Den tidligst udviklede vaccine var mod kopper, og den var selvsagt en levende vaccine. Calmette vaccinen mod tuberkulose, som de fleste af os har modtaget som en del af børnevaccinationsprogrammet, samt vacciner mod gul feber eller kolera, som mange af os har modtaget i forbindelse med rejser, er andre eksempler på traditionelt fremstillede vacciner med levende, svækket smitstof.

I forhold til covid19 er de kinesiske vacciner fra Sinopharm og Sinovac fremstillet efter helt traditionel formel med levende, svækket coronavirus.

Vacciner med inaktiveret virus

Ved en vaccine med inaktiveret virus anvender man virus, der er dødt, eller hvor man blot injicerer et fragment af den virus, man vil beskytte imod. Her får man immunforsvaret til at reagere via det døde virus eller fragmentet, så det danner antistoffer, der hindrer det virus, man vaccinerer imod, i at trænge ind i cellerne.

Denne teknologi har været kendt i en årrække. Vacciner mod hepatitis A og influenza er af denne type.

De forskellige vaccinetyper har selvfølgelig fordele og ulemper.

En af fordelene ved en traditionel vaccine med svækket, levende virus er, at den tilsyneladende ikke alene giver en beskyttelse mod den sygdom, man vaccineres imod, men samtidig giver et generelt boost af immunforsvaret[3] samt mulig krydsimmunitet mod andre specifikke sygdomme.

Til gengæld er fremstillingsprocessen omstændelig og tidskrævende, og der er en række tilstande, herunder svækket immunforsvar, feber eller nylige angreb af andre sygdomme, hvor man fraråder vaccination med en levende vaccine[4].

Dertil kommer, at i forhold til covid19 har vaccinerne fra Sinovac og Sinopharm vist sig at have en lavere effekt end de vacciner, der er fremstillet med nyere teknologier.

For vaccinerne med inaktiveret virus ser der ud til at være omkostninger i forhold til det øvrige immunforsvar. Christine Stabell Benn, der er professor ved Syddansk Universitet og har forsket i vacciner i adskillige år, har gennem sit arbejde erfaret, at de inaktiveret virus vacciner godt nok er effektive overfor den specifikke sygdom, de er rettet imod. Men samtidig har hun set eksempler på, at man, efter at have fået en vaccine med inaktiveret virus, får svækket immunforsvaret overfor visse andre sygdomme. Da man på et tidspunkt ændrede på børnevaccinationsprogrammerne i Afrika, således at en inaktiveret virus vaccine blev givet i en anden form og på et tidligere tidspunkt end man ellers havde gjort, gav det godt nok en ekstra beskyttelse mod den

---

3 Benn, Christine Stabell: Samfundstanker.

4 Vaccinespecialisten.dk

tilsigtede sygdom, men generelt betød det, at børnedødeligheden steg markant.

Der er således nogle noget uspecifikke bivirkninger ved de inaktiverede virus vacciner, som man endnu ikke har helt styr på.

De nye vaccineteknologier

De vacciner mod covid19, der i skrivende stund er godkendte til brug i EU, er alle udviklede med ret nye fremstillingsmetoder. Vaccinerne fra AstraZeneca og Johnson & Johnson er viral vektor vacciner, dem fra Pfizer og Moderna er mRNA-vacciner.

Viral vector vacciner

En viral vector vaccine er en vaccine, hvor man i stedet for at tilføre kroppen et helt, svækket eller inaktiveret virus i stedet inficerer med et fragment af virus – på en anden "vært" så at sige. I modsætning til de tidligere kendte vacciner med inaktiveret virus eller fragmenter heraf, er disse vacciner kendetegnet ved, at man bruger et helt andet virus end det, man vaccinerer imod, som bærer af et fragment fra det virus, man vil beskytte imod. Det kræver selvfølgelig gen-teknologi at få et andet virus til at bære fragmenter af det sygdomsfremkaldende virus.

Vaccinerne mod covid19 fra AstraZeneca og Johnson & Johnson er som nævnt en viral vector vacciner. I AstraZenecas tilfælde har man gjort det, at man ved hjælp af genteknologi har "klistret" covid19's spikeprotein ind i arvemassen på et "uskadeliggjort" adeno virus (ChAdOx1), som grundlæggende er en helt anden virustype end corona. Herved instrueres værtscellerne til at producere covid19's spike-proteinet og udtrykke det på celleoverfladen, men danner ikke nye virus partikler. Det får B-lymfocytterne til at udvikle antistof mod spike-proteinet, ligesom spike-proteinets karakteristika bliver lagret i hukommelsen.

Også vaccinen fra Johnson & Johnson, samt den russiske Sputnik vaccine, er viral vector vacciner, hvor adenovirus er brugt som bærer af spikeproteiner.

Den nyeste vaccineteknologi – mRNA vaccinerne

Den nyeste vaccineteknologi udgøres af mRNA vaccinerne. Til forskel fra de traditionelle vacciner, hvor man tilfører kroppen et færdigt smitstof eller et fragment heraf, så tilføres der ved de nye vacciner kun en genetisk kode, der får kroppen til selv at producere det virusfragment, B-lymfocytterne skal danne antistof imod.

I tilfældet med covid19 er det spike-proteinet, man satser på at danne antistof imod. Derfor er formålet med Pfizers og Modernas mRNA-vacciner således at få kroppen til selv at producere spike-proteinet, som B-lymfocytterne så efterfølgende danner antistof imod.

Teknologierne til fremstilling af mRNA vacciner er endnu så ny, at det på nuværende tidspunkt er umuligt at sige ret meget om, hvad fordelene og ulemperne er i forhold til de mere traditionelt fremstillede vacciner.

Umiddelbart kan man dog sige, at noget af det, der taler for de nye vacciner, er, at vaccinerne med genetisk kode ser ud til at have en ganske høj effekt sammenlignet med de fleste traditionelt fremstillede vacciner, samt at fremstillingsprocessen er noget hurtigere. Der ud over bør det nævnes, at selv om der har været en del tale om mulige ændringer af vore genomer med de nye vacciner, er der så vidt jeg kan se intet, der tyder på, at det skulle være tilfældet, selv om man kan sige, at der er tale om en form for genteknologi.

Til gengæld må man også erkende, at da de er så hurtigt udviklede, og da de har været gennem en usædvanligt hurtig godkendelsesprocedure, ved man intet om, hvor lang tid effekten kan forventes at holde, ligesom man heller intet ved om bivirkningsprofilen på lang sigt.

8
Udvikling og godkendelse af covid19 vacciner

Udvikling og foreløbig godkendelse af vaccinerne mod covid19 er sket langt hurtigere end for nogen tidligere vacciner. Indtil covid vaccinerne kom, var det vaccinen mod fåresyge, der havde rekorden. Der tog udviklingen af den 4 år.

For covid vaccinernes vedkommende tog det mindre end et år at få – ikke bare én, men adskillige varianter på markedet. Hvordan kunne det gå til?

En hyppigt gentaget forklaring er, at der aldrig tidligere har været postet så mange penge i udviklingen af en vaccine. Det er i og for sig rigtigt, at forskerne har haft hidtil usete midler til rådighed, og det giver selvfølgelig nogle exceptionelle muligheder.

Men selv med de enorme summer i baghånden var det ikke lykkedes at få vaccinerne så hurtigt på markedet, hvis ikke det var fordi, man her har fraveget den normale godkendelsesprocedure væsentligt.

Den normale procedure er, at et nyt medikament først afprøves på dyr. Det er også sket med covid-vaccinerne.

Herefter går en proces i gang, hvor medikamentet afprøves på mennesker. Denne testning[5] forløber over mindst 3 faser:

---

5 Kræftens Bekæmpelse

I fase 1 afprøves medikamentet på en mindre gruppe raske mennesker. I visse tilfælde også på meget syge patienter, der således modtager en eksperimentel behandling for en sygdom, der ellers anses for terminal. Herefter evalueres resultatet.

I fase 2 afprøves medikamentet på en større gruppe patienter, hvor man forsøger at fastslå den optimale dosis samt eventuelle bivirkninger. Herefter evaluerer man igen.

I fase 3 anvender man medikamentet på en endnu større gruppe individer. En del af forsøgspersonerne får et uvirksomt præparat – et såkaldt placebo – for at undersøge, om den virkning, man ser, beror på psykiske faktorer, eller om det rent faktisk er det nye lægemiddel, der fremkalder den observerede effekt.

Under normale omstændigheder følger de tre faser efter hinanden, og man evaluerer som nævnt efter hver enkelt forsøgsfase. Under evalueringen har man mulighed for at justere på dosis' størrelse, eller på den periode der går, mellem doserne gives. Men for covid-vaccinernes vedkommende er de tre faser afviklet sideløbende.

Dette har man selvfølgelig gjort, for at kunne markedsføre vaccinerne så hurtigt som muligt. Men derved mister man jo muligheden for at gøre brug af erfaringer fra forsøgets første fase i planlægningen af de efterfølgende.

En endnu større ulempe ved at afvikle forsøgsfaserne sideløbende er, at man derved helt afskriver muligheden for at få overblik over eventuelle utilsigtede langtidseffekter, inden man begynder at massevaccinere verdens befolkninger.

Det bliver ofte fremført, at de nye covid vacciner er lige så gennemtestede som andre vacciner. Argumentet er, at *antallet* af forsøgspersoner, der har fået vaccinerne i fase 1, 2 og 3, svarer til det antal forsøgspersoner, der normalt indgår i en godkendelsesproces. Men processerne er stadig ikke sammenlignelige, da man jo ikke kan spore en bivirkning, der optræder efter f.eks. 18 måneder, hvis samtlige forsøg er afviklet på 8 måneder.

Af samme årsag er alle de anvendte covid vacciner foreløbigt kun godkendte på dispensation. Endelig godkendelse kan tidligst opnås i 2023.

At starte massevaccination af hele befolkninger med en vaccine, der er helt nyudviklet, og som endnu ikke har opnået endelig godkendelse, ville være betænkeligt – selv hvis den var udviklet på helt traditionel vis med en velkendt og gennemprøvet teknologi.

Men her, hvor der er tale om, at vaccinerne er udviklet med helt nye teknologier – for mRNA vaccinernes vedkommende har teknologien aldrig tidligere været godkendt til profylaktisk brug på mennesker – bør den atypiske godkendelsesprocedure vække endnu mere bekymring.

Den hasarderede vaccinestrategi ville måske være for-ståelig, hvis der var tale om en sygdom med ekstremt høj dødelighed. Men det er langt fra tilfældet for covids vedkommende. Der er tale om en sygdom med relativt lav dødelighed, og hvor det i realiteten kun er særligt udsatte grupper – folk med høj alder og flere specifikke kroniske sygdomme – der er i livsfare.

Når vaccinerne er så mangelfuldt testet og i realiteten kun godkendte på dispensation, kunne man med fordel begrænse brugen af dem til de mennesker, der reelt løber en risiko, hvis de får covid19.

II

Strategier

9
Strategier
Intro

Da Danmark i foråret 2020 blev ramt af covid19, oplevede mange, at der herskede forvirring omkring, hvordan situationen skulle håndteres. Da de første tilfælde dukkede op, indlagde man pr. automatik de smittede.

Efter noget tid, da man blev klar over, at langt de fleste tilfælde af covid19 forløb helt udramatisk, gik man over til at råde de smittede til blot at isolere sig hjemme, indtil symptomerne gik over. Kun komplicerede tilfælde krævede indlæggelse.

Da første bølge var ved at klinge af, kunne vi endog høre hele Danmarks TV-læge, Peter Qvortrup Geisling, fortælle i prime-time, at der faktisk var *for få*, der på det tidspunkt blev smittet. Sundhedsvæsnet var langt fra overbelastet, og hvis ikke smittetallet kom op, ville der gå alt for lang tid, inden vi opnåede flokimmunitet.

Senere gik man over til igen at fokusere på, at så få som overhovedet muligt skulle smittes. Da vintersæsonen nærmede sig, og smittetallet steg, indførtes vidtgående tiltag for at reducere smitten.

Det var således med god grund, regeringen blev beskyldt for at føre en slingrekurs. Men hvad skyldtes den? Hvad var årsagen til, at vi det ene øjeblik skulle smittes hurtigt med henblik på at opnå flokimmunitet, for det næste øjeblik for alt i verden at skulle undgå smitte?

Årsagen var, at der blev foretaget flere skift mellem to strategier; *inddæmnings-strategi* og *afbødnings-strategi*. Men hvad indebærer de to strategier? Hvad kan de bruges til? Hvad er fordele og ulemper ved dem, og hvornår er de relevante? Det skal vi se nærmere på i de følgende kapitler.

10
Inddæmnings-strategi

Formålet med inddæmnings-strategi er at udrydde smitten. Når en person konstateres smittet, isoleres vedkommende, og man forsøger at opspore smittekilden for på den måde at forhindre yderligere smitte. Man forsøger derved at bringe epidemien til ophør.

Inddæmnings-strategier har med held været anvendt f.eks. i forhold til udbrud af Ebola[6]. Her er det - på trods af, at sygdommen ofte har huseret i områder, hvor sundhedsvæsnerne har været af ringe standard og tilliden til sundhedsmedarbejderne været vigende – lykkedes at få inddæmmet smitten. En medvirkende faktor til succesen er utvivlsomt, at ebola ikke er en meget smitsom sygdom. Man skal have været i tæt direkte kontakt med en inficeret, for at overførsel fra menneske til menneske sker.

Men hvorfor kommer der så nye udbrud? Hvis inddæmnings-strategien er lykkedes, skulle smitten så ikke være udryddet? Jo – og faktisk erklæres lande også for ebola-fri, når man anser et udbrud for stoppet. Men da ebola ikke alene smitter fra menneske til menneske, men også fra dyr til menneske, giver det fra tid til anden nye udbrud. Der er så at sige hele tiden et smittereservoir til stede hos frugtflagermus og visse aber. Når disse jages og bruges som føde, overføres der fra tid til

---

6 Statens Seruminstitut – link 1 & 2.

anden smitte, der så kan iværksætte et nyt udbrud. Når et område erklæres ebola-frit, betyder det blot, at der ikke længere er smittede mennesker, men der er stadig smitte til stede hos vilde dyr, der så på et senere tidspunkt kan udløse nye udbrud blandt mennesker.

Inddæmnings-strategi kan således være et effektivt værktøj til at stoppe smittespredning og udrydde en sygdoms tilstedeværelse, så længe epidemien raser i et afgrænset geografisk område.

11
Afbødnings-strategi

Formålet med afbødnings-strategi er at forhindre, at udbruddet af en given smitte bliver så omfattende, at sundhedsvæsnet overbelastes. Ved afbødnings-strategi er målet således ikke at stoppe smitteudbruddet, men blot at sørge for, at ikke alt for mange mennesker smittes på én gang.

Vi husker nok alle Magnus Heunickes grønne og røde kurve fra pressemøderne tilbage i marts 2020. De viste, hvordan smitteudviklingen havde været i henholdsvis Philadelphia og Sct. Louis under den spanske syge i 1918. I Philadelphia havde man ikke foretaget sig noget med det resultat, at smitten hurtigt udviklede sig, og sundhedsvæsnet blev overbelastet. I Sct. Louis isolerede man patienterne. Isolationen førte ikke til, at smitten blev stoppet, men spredningshastigheden blev sænket så meget, at sundhedsvæsnet kunne følge med. Dermed fik man reddet mange menneskeliv, selvom strategien næppe har ført til, at særligt mange færre blev smittet.

Vi husker formlen for udregning af flok-immunitet, og tiltagene ændrede jo ikke på det naturlige kontakttal (NKT), men man reducerede kontakttallet kunstigt for en periode. I den periode dæmpede man smittespredningen, men andelen af befolkningen, der skulle smittes inden flok-immunitet kunne opnås, forblev den samme.

En afbødnings-strategi kan således være et effektivt værktøj til at sænke hastigheden på smittespredningen, men formålet med afbødnings-strategi er *ikke* at reducere det samlede antal personer, der rammes af sygdommen.

12
Valg af strategi og tiltag

Som nævnt bør valget af strategi bero på den konkrete situation, man står i.

Er der tale om en geografisk begrænset epidemi, kan inddæmnings-strategi være et relevant valg, da man derved kan eliminere smitten. De anvendte tiltag er her smitteopsporing og, mens smitten stadig spredes, tiltag for at få sat en stopper for smittespredningen. Det kan være en ret udbredt grad af nedlukning af samfundet, da hver ny smittekæde giver en dårligere prognose for at få elimineret sygdommen.

Er der derimod tale om en pandemi - eller en epidemi, der har spredt sig til et større geografisk område – er afbødnings-strategi det relevante værktøj. Hvis en epidemi har udviklet sig til en pandemi, er udsigten til helt at kunne eliminere smitten stort set ikke-eksisterende. Man kan ikke inddæmme en smitte, der allerede har spredt sig så meget, at den er overalt.

Det svarer nogenlunde til, at man ikke kan inddæmme saltet i de danske farvande og gøre dem ferske, så længe verdenshavene stadig er fulde af salt. Det ville kræve, at man destillerede vandet i alverdens have, eller at man opbyggede en vandtæt mur rundt om de danske have. Det lader sig selvsagt ikke gøre.

På samme måde med en pandemi, hvor der er tale om, at virus har spredt sig overalt på Jorden. Man kan ikke inddæmme noget, der er overalt. Skulle det endelig lykkes at gøre et land helt corona-frit, ville det efterfølgende kræve hermetisk tillukkede grænser, hvis man i al fremtid skulle holde smitten ude. Det er næppe et samfund, særligt mange af os ønsker.

Men selv hvis man foretog sig noget så drastisk, ville smitten efter al sandsynlighed alligevel komme igen. Vi har set, at det ikke kun er mennesker, der er modtagelige overfor smitten. Mink er det også. Og når mink er modtagelige, er det rimeligt at antage, at også andre små rovdyr af mårfamilien kan få sygdommen.

Så selv med grænserne hermetisk tillukkede for mennesker, ville et land alligevel kun være corona-frit, indtil den første mår med Covid19 spadserede ind over en af grænserne. Ligesom aber og flagermus kan overføre ebolavirus, kan covid19 overføres af mink – og formentligt også af beslægtede dyr.

Derfor er afbødnings-strategi det eneste, der giver mening, når en sygdom er blevet pandemisk. Det betyder, at man egentlig kan holde samfundet relativt restriktionsfrit, så længe sundhedsvæsnet ikke overbelastes. Nærmer man sig overbelastning, indføres restriktioner for at begrænse smittetallet, og disse kan så ophæves igen, så snart smitten er nede på et niveau, hvor sundhedsvæsnet igen kan følge med.

Ved afbødnings-strategi er formålet jo netop *ikke* at begrænse det samlede antal smittede i væsentlig grad, men derimod at sprede smitten over tid, således at det antal, der skal smittes, for at flokimmunitet opnås, ikke får sundhedsvæsnet til at bryde sammen. Derfor giver det ikke mening at fastholde tiltag, når sundhedsvæsnet ikke er i fare for overbelastning.

Dansk slingrekurs

Da man lukkede landet i marts 2020, var formålet at inddæmme smitten og eliminere den. Det var også årsag til, at alle smittede i starten blev indlagt; man ville isolere de smittede for at undgå ethvert nyt tilfælde af covid19. Der var altså tale om en klar inddæmningsstrategi.

På et tidspunkt blev man klar over, at det ikke længere lod sig gøre at inddæmme og eliminere smitten. Det var der, man gik væk fra de mange indlæggelser, og i stedet blot anbefalede ikke-behandlingskrævende smittede at blive i eget hjem. Man genåbnede skolerne, og myndighederne rådede endda til, at også børn, der kom fra hjem med smittede familiemedlemmer, mødte op til undervisning. Det blev dog hurtigt ændret, da det vakte stor modstand. Man havde i månederne op til strategiskiftet givet befolkningen det indtryk, at covid19 var en meget farlig sygdom, og risikoen for, at ens egne børn blev smittet i skolen, fik mange til at protestere. Rådet blev derfor efter kort tid ændret til, at børn fra coronaramte familier skulle blive hjemme.

Det ville ellers have været udmærket, hvis smitten havde fået lov til at florere blandt børnene. De får i reglen meget milde eller helt symptomfri forløb, og et barn tæller jo lige så meget i regnskabet for at opnå flokimmunitet som ethvert andet individ.

Afbødnings-strategien holdt dog kun i kort tid – så slingrede man tilbage til inddæmnings-strategien, hvor smitteopsporing blev det centrale værktøj.

Det kan undre noget, at man ikke holdt fast i afbødnings-strategien, da det som nævnt er den eneste, der normalt giver mening ved pandemier. Man må formode, at årsagen var, at man allerede på det tidspunkt havde besluttet sig for en ensidig satsning på massevaccination. Det er i alt fald det eneste, der giver mening, da der ikke findes andre måder at få stanset en pandemi på end flokimmunitet, og den opnås som bekendt via naturlig smitte eller ved vaccination.

Men på det tidspunkt var vaccinerne langt fra færdigudviklede. Der er stadig, nu hvor vaccinationsprogrammet er i fuld gang, mange uafklarede spørgsmål omkring langtidseffekt og bi-virkninger. Alt i alt virker den ensidige satsning på massevaccination med præparater, der stadig kun er godkendt på dispensation, noget hasarderet.

Dertil kommer, at hele tanken om en total udryddelse af covid19 er absurd. Det er da også erkendt i WHO, at sygdommen udvikler sig endemisk – altså således, at der altid vil være smittereservoirer, og at der fra tid til anden vil komme mindre udbrud. Allerede 29/12 2020 citerede The Guardian formanden for WHO's rådgivningsgruppe for infektionssygdomme, professor David Heymann, for følgende udtalelse[7]: "*Det ser ud til, at skæbnen for SARS-CoV-2 [Covid-19] er at blive endemisk, ligesom fire andre humane coronavira, og at det vil fortsætte med at mutere, når det reproducerer sig i humane celler...*".

Man må konkludere, at i Danmark har man i flere omgange valgt at lukke samfundet ned og bruge masser af ressourcer på smitteopsporing for at følge en strategi, der kun er relevant i forhold til lokale epidemier. Det

---

7 The Guardian 29.12.20.

har man gjort overfor en pandemi, som WHO har erkendt udvikler sig endemisk.

Hvad konsekvenserne af et så ulogisk valg må forventes at blive på sigt, skal jeg vende tilbage til senere. Men inden da skal vi se på, hvad covid19 er for en sygdom, og hvordan det har kunnet gå så galt.

III

Covid19

13
Opståen og udvikling – et nyt virus

Corona vira har været kendt i mange år som en virustype, hvor nogle var sygdomsfremkaldende hos mennesker. Flere af de typer, vi har af almindelig forkølelse, skyldes corona vira. I december 2019 viste det sig, at et nyt virus af corona typen var fundet hos mennesker. Sygdommen, det fremkaldte, fik navnet covid19.

I skrivende stund er der faktisk ingen, der med sikkerhed ved, hvordan covid19 er opstået. Fra start af gik man ud fra, at den sygdomsfremkaldende virus var sprunget fra dyr til menneske på et såkaldt våd-marked - et marked, hvor der bl.a. handles med vildt – i den kinesiske by Wuhan. Det var fra denne by de første tilfælde af covid19 blev indrapporteret. Teorien har gået på, at virus her er sprunget fra dyr til menneske, en såkaldt zoonose.

Sidst i februar 2021 havde en WHO-delegation med deltagelse af den danske professor i medicin, Thea Kølsen Fisher, afsluttet deres undersøgelser i Asien omkring covid19's ophav. Efterfølgende bragte Politiken en opsigtsvækkende artikel om, at zoonosen muligvis i stedet for på et vådmarked i Wuhan var sket på et vådmarked i Bangkok.[8]

---

8 Thomsen, Claus Blok: Dyremarked i Bangkok kan være det sted, der bragte corona til Wuhan.

Det er dog langt fra sikkert, at hypotesen om, at Thailand er det reelle arnested for zoonosen, holder. Ugen efter blev det konkluderet i en artikel i Polygraph, at: "Selvom de første kendte tilfælde af covid19 blev fun-det i Wuhan, er den oprindelige kilde til overførsel af virus til mennesker ukendt."[9]

Igen er der så andre undersøgelser, der tyder på, at covid19 har været til stede både i Europa og USA før det tidspunkt, hvor de første tilfælde dukkede op i Wuhan. I maj 2020 blev man klar over, at der havde været tilfælde af covid19 i Frankrig[10] allerede i december 2019. Senere har forskere ved at analysere blodprøver fra donorblod fundet frem til, at virus også var til stede i USA[11] i december 2019.

Der har også været teorier fremme om, at virus skulle være kunstigt fremstillet i et laboratorium, og derefter – med eller uden fortsæt – spredt udenfor laboratoriet. Da man ikke kender covid19's oprindelse med sikkerhed, kan den teori ikke pure afvises. I maj 2021 har 18 internationale forskere, heriblandt danskeren Rasmus Nielsen, der er professor ved University of California, Berkeley og Københavns Universitet, skrevet et åbent brev til WHO, hvor de opfordrer til at undersøge, om virusset i virkeligheden er menneskeskabt og undsluppet fra et laboratorium[12]. Lone Simonsen, alias Corona-

---

9 Echols, William: Was a Bangkok Market the Original Coronavirus Source?

10 Rizau: Det overrasker ikke WHO, at der allerede i december sidste år muligvis florerede coronavirus i Frankrig.

11 Bloomberg: COVID-19 was already in the U.S. by December 2019, study says.

12 Kristensen, Pernille Kjeldgaard: Forskere opfordrer WHO til at undersøge, om corona er overført fra et laboratorie ved en fejl.

Lone, udelukker heller ikke muligheden, omend hun vurderer, at der er 95% chance for, at der er tale om en zoonose.

Det skal dog nævnes, at de fleste forskere er tilhængere af zoonose-teorien, og det er også tilfældet for mit eget vedkommende.

14
Ignorering af eksisterende viden

Noget af det, jeg har fundet mest overraskende under corona-krisen, er, at mange af de citerede eksperter har valgt helt at se bort fra eksisterende viden om vira og immunsystem, samt ignorere de erfaringer man har indhøstet fra tidligere pandemier i verdenshistorien.

Generelt har der været en tendens til at se på covid19 som et helt enestående virus, hvor man på ingen punkter kunne gå ud fra, at det opførte sig på samme måde som alle andre, kendte vira. Jeg nævner her et par eksempler.

Vi ved fra alle andre kendte vira, at de, som overlever sygdommen, danner antistoffer imod den. Det er den viden, der ligger bag al klassisk vaccineudvikling. Men gjorde det sig nu også gældende for covid19? Det var mange langt fra sikre på. Man fandt eksempler på, at nogle faktisk ikke udviklede antistoffer. Men de personer, der ikke udviklede antistoffer, var jo i overvejende grad folk, der var testet positiv for covid, men som ikke udviklede symptomer. Altså "smittede", hvor B-lymfocytterne formentligt overhovedet ikke har været aktiverede, men hvor T-lymfocytterne har gjort arbejdet færdigt inden "patienten" nåede at udvikle symptomer. Og hvis B-lymfocytterne overhovedet ikke har været aktiverede, er der jo ikke noget mærkeligt i, at man efterfølgende ikke kan finde nogen antistoffer hos individet.

Der har så at sige været tale om raske personer, hvor en test blot har vist, at de har været eksponerede for covid-smitte.

Men hvorfor sker det ikke for andre sygdomme, ville nogen måske spørge. Svaret er, at det gør det formentligt også. Vi har bare aldrig tidligere i den grad testet tilsyneladende raske personer for en infektionssygdom.

At man fandt personer, der havde haft positive covid-tests, men hvor man ikke efterfølgende kunne måle antistoffer, gav liv til en myte om, at så kunne man heller ikke opnå flokimmunitet. Men selvfølgelig kan flokimmunitet opnås – for covid19 såvel som for alle andre epidemiske infektionssygdomme. Det er den måde, menneskeheden har klaret alle hidtidige epidemier på.

En anden myte, der har været hæftet til covid19, er, at covid19 adskiller sig fra andre sygdomme ved at give en stor del af patienterne senfølger. Der nævnes mistet smagssans, hovedpine, træthed, koncentrationsbesvær og åndedrætsbesvær som mulige senfølger. Men alle disse senfølger er velkendte fra andre virusinfektioner som f.eks. influenza og denguefeber.

Men hvad så med dem, der får blodpropper, vil nogen måske indvende. Men også blodpropper er faktisk en velkendt senfølge ved influenza. I måneden efter en influenza diagnose er risikoen for at få blodprop 6 gange højere end normalt[13]. Det er ikke en gang specielt ny viden, faktisk har man siden 1930'erne vidst[14], at infektioner i luftvejene gav forøget risiko for blodprop. Det

---

13 Jacobsen, Sine Bach: Nyt studie: Influenza kan give blodprop - sådan undgår du at blive ramt.

14 Kwong, Jeffrey C. m.fl.: Acute Myocardial Infarction after Laboratory-Confirmed Influenza Infection.

burde derfor ikke være specielt overraskende, at det også gør sig gældende for covid19.

Et andet faktum, man har set bort fra, og som er velkendt for pandemier, er, at udbruddene kommer i bølger. Vi har været vidner til, at politikere i sommeren 2020 opfordrede til, at nu skulle vi holde fast, så Danmark ikke blev ramt af anden bølge.

Også de statsansatte eksperter bakkede op om den vanvittige ide om, at vi her i Danmark kunne undgå at blive ramt af anden bølge, mens landene omkring os blev ramt et efter et, hvis vi blot fortsatte de gode takter og overholdt alle restriktioner og anbefalinger. I kølvandet på første bølge kunne man således i maj 2020 læse i Weekendavisen[15], at den faglige direktør for Statens Seruminstituts Infektionsberedskab, Kåre Mølbak, udtalte, at han ikke længere var bekymret for, at Danmark blev ramt af en anden bølge.

Men at tro, at man sådan kan undgå at blive ramt af bølgerne ved en pandemi, er fuldstændigt hovedløst. Det nævnes dog også i artiklen, at Mølbak her stod i skarp kontrast til såvel EU's viruschef Andrea Ammon, der havde udtalt at *"...det er ikke et spørgsmål om, om den kommer, men hvor stor den bliver ..."* og med USA's chef-epidemiolog, Anthony Fauci, der også var mere klarsynet og betegnede anden bølge som *"uundgåelig"*.

Alligevel fortsatte man i månedsvis i Danmark med at fable om, hvordan vi bedst undgik, at Danmark blev ramt af pandemiens anden bølge.

Men det var ikke alene i Danmark, politikere og deres ansatte epidemi-eksperter befandt sig i en naiv tro på, at

---

15 Furu, Sonja: At bremse en bølge.

man kunne gardere sit land mod anden bølge, mens den som en anden tsunami væltede ind over alle nabolandene. I adskillige lande førte det til strenge indrejserestriktioner i håb om, at man derved kunne holde mikroben stangen udenfor landegrænserne. Mig bekendt har ingen af disse lande undgået at blive ramt af anden bølge.

Igen må man stille sig selv spørgsmålet: Hvorfor regnede man i udgangspunktet ikke bare med, at covid19 pandemien udviklede sig på samme måde, som var velkendt fra tidligere pandemier?

Man kan endvidere stille spørgsmålet: Er det tanken om, at covid19 adskiller sig markant fra alle andre kendte vira, der har affødt mistanken om, at dette virus er kunstigt fremstillet i et laboratorium? I alt fald giver de mange overvejelser, der åbenlyst har været fremført i pressen den ene gang efter den anden om, at covid19 er et helt specielt virus, der adskiller sig fra alle andre kendte vira, været med til at gøde jorden for mange konspirationsteorier. At vi i Danmark har en regering, der i den grad har holdt kortene tæt til kroppen omkring grundlaget for de beslutninger, der er truffet i forhold til corona håndteringen, har ikke just svækket tankerne om, at der ligger en konspiration bag hele pandemien – at den er kunstigt skabt med overlæg.

Jeg vil nævne et sidste punkt, hvor man med fordel kunne skele til de erfaringer, man i forvejen har om, hvordan vira udvikler sig over tid; nemlig i forhold til mutationer.

Covid19 er et nyt virus blandt mennesker. Hvis vi går ud fra, at der er tale om en zoonose, har den oprindelige covid virus hos flagermus formentligt muteret et utal af gange, inden det nåede en form, hvor det kunne spredes til mennesker. Nu er der så "ny dreng i klassen" på virusområdet. Der opstår hele tiden mutationer, sådan er det for alle levende organismer – også vira. Og da covid19 netop har opnået den egenskab lige med nød og næppe at kunne trives med mennesket som vært, så er der masser af plads til forbedring.

Derfor spredes en stor del af de mutationer, der opstår. Der er helt enkelt tale om, at flere af de nye mutationer er bedre tilpassede livet med mennesket som vært, end de oprindelige. Det er *survival of the fittest* på mikrobiologisk plan. Det er derfor, vi ser den engelske mutation B117 hurtigt gå hen og dominere smittebilledet i Danmark. Der er simpelt hen tale om en mutation, der smitter lidt nemmere, hvilket jo er en fordel for virus. Derfor klarer den sig i konkurrencen.

Men som nævnt i kap. 3 har virus ingen interesse i at slå sin vært ihjel – det er værd at huske på her. Det er derfor usandsynligt, at covid muterer til en variant, der er farligere end den oprindelige.

Princippet om, at vira muterer til noget, der nemmere spredes, men som samtidig giver mindre alvorlige forløb, er da også velkendt fra tidligere pandemier. F.eks. er den russiske syge, der hærgede i 1889-91, for nyligt blevet "afsløret" som et corona virus[16]. Dens efterkommer er det nuværende forkølelsesvirus HCoV-OC43, som regnes for helt ufarligt.

---

16 Hüttel, Hans: Covid-1889?

IV

Krisehåndtering

15
Danmark

Overalt i verden har man reageret politisk, da covid19 spredte sig pandemisk. Indfaldsvinklerne har imidlertid været forskellige. Vi behøver ikke gå længere end til nabolandet Sverige for at se et eksempel, hvor sygdommen har været håndteret meget anderledes end i Danmark.

I de kommende kapitler skal vi se på forskelle mellem krisehåndteringen her i landet sammenlignet med et par andre lande. Hvad er det for en linje, man har valgt, hvad er forudsætningerne for, at den kan gennemføres, og hvem har haft interesse i den førte linje.

Som nævnt har man i Danmark haft en slingrekurs, hvor man er startet med at anvende inddæmningsstrategi. På et tidspunkt skiftede man til afbødningsstrategi, hvilket så ganske fornuftigt ud, da det jo var en pandemi, vi havde at gøre med. Derefter skiftede man tilbage til den inddæmningsstrategi, der kun er effektiv overfor lokale pandemier.

At man på den måde har valgt at anvende inddæmnings-strategi, og satse ensidigt på vacciner som vejen til flokimmunitet, har trukket restriktionerne i langdrag, og det har haft omfattende konsekvenser for hele vort samfund.

16
Vindere og tabere

Politisk

Det ekstreme forsigtighedsprincip er indført egenrådigt af den socialdemokratiske regering. Har de så vundet noget på den? Ja, det må man sige. Aldrig tidligere har en mindretalsregering haft så meget magt.

Allerede inden corona-krisen havde Mette Frederiksen centreret ekstremt meget magt omkring sig selv. Det gjorde hun bl.a. ved at oprette en ny post som stabschef i statsministeriet og ansætte Martin Rossen i stillingen. Den indebar, at han fik plads i såvel koordinationsudvalget som økonomiudvalget. Han fik derved en central og meget magtfuld post, hvor han hverken skulle stå til ansvar overfor folketinget eller overfor vælgerne, da han jo ikke var folkevalgt. Den eneste, han i realiteten skulle stå til ansvar overfor, var Mette Frederiksen.

Da pandemien brød ud, fik hun endnu mere magt, da folketinget med den midlertidige epidemilov gav hende mandat til – næsten – enevældigt at kunne diktere landets love.

Men hun skal jo stå til ansvar overfor vælgerne. Hvordan undgår man vælgerlussinger, når man lukker landet ned, fratager folk væsentlige trivselselementer og endda påtager sig eneansvaret for det? En balanceakt, der i skrivende stund ser ud til at være lykkedes for hende, da hun ifølge meningsmålingerne nu har endnu mere opbakning fra vælgerne, end hun havde ved valget.

Svaret er, at hun gør det ved at fastholde et skræmmebillede. Ved pandemiens start var sygdommen ny og ukendt, og frygten for, at det i Danmark skulle gå som de hårdest ramte steder, slog hurtigt rod i den danske befolkning. Man så billeder i pressen fra Italien, hvor mange døde med covid på kort tid. At man havde verdens næstældste befolkning, og at sundhedsvæsnet var anderledes indrettet end det danske – herunder at man havde langt færre respiratorer i forhold til befolkningstal - blev i forbifarten glemt.

Kort efter kunne man i medierne se nye, alarmerende billeder – denne gang fra New york. Her kunne man se, hvordan lig blev kørt i lastbiler til massegrave på Hart Island. Igen et skræmmende syn, der fik frygten for, at vi også i Danmark skulle få en så omfattende massedød, at ligene måtte køres væk i lastvogne og begraves i massegrave, til at blusse op. Dog meldte billederne ikke noget om, at det var helt normalt; Hart Island har siden 1869 fungeret som gravplads for byens fattige[17], og at begrave i massegrave har gennem alle årene været gængs praksis.

Der var altså god grobund for frygt i pandemiens første måneder. En frygt, regeringen sidenhen har gjort alt for at vedligeholde.

Der er stort set ikke gået en dag, siden pandemien brød ud, uden at vi har skullet se Mette Frederiksen og Magnus Heunicke med ansigterne i bekymringsfolder advare om ulven, der kom: Først var det antallet af indlagte og døde, der skulle holdes nede. Da det viste sig, at sundhedsvæsnet ikke blev overbelastet, og at

---

17 Wikipedia: Hart Island.

langt færre døde end først antaget, var det smittetal og kontakttal, der var alarmerende. Da smittetallet blev lavt, var det faren ved nye mutationer, der gjorde det nødvendigt at fastholde stramme restriktioner. Eller en særlig bydel eller boligområde, der havde fået et smitteudbrud. Altid var der noget at bekymre sig om. Og imens regeringen spredte bekymringerne, dukkede størstedelen af befolkningen nakken og adlød i samfundssindets og folkesundhedens navn.

De politiske tabere blev oppositionen. Efter at have afgivet magten helt og holdent til Mette Frederiksen, blev de nu ignoreret. Regeringen tog beslutningerne egenhændigt, og i mange tilfælde informerede man end ikke folketinget om de beslutninger, man havde truffet; flere gange beklagede repræsentanter fra oppositionen sig over, at de måtte erfare, hvad regeringen havde besluttet, på de selvsamme pressemøder, hvor hele landets befolkning blev informeret.

Pressen

En forudsætning for, at frygt-niveauet kunne opretholdes, var, at pressen spillede med i det absurde teater, regeringen instruerede. Og det gjorde de med stor velvilje.

Om det skyldes - som nogle har hævdet - at pressen i et land, hvor det er næsten umuligt at overleve uden offentlig mediestøtte, i et eller andet omfang altid vil være i lommen på den til enhver tid siddende regering, skal jeg ikke kunne sige. Det skal blot nævnes, at flere har ytret mistillid til bl.a. DR for at agere mikrofonholdere for den socialdemokratiske regering, mod til gengæld at få omstødt en beslutning fra den tidligere borgerlige regering, der gik ud på, at deres statstilskud skulle reduceres kraftigt. Og man må medgive dem, at de kritiske stemmer i debatten har været ganske sparsomt repræsenteret i den etablerede presse – til stor forskel fra, hvad man har kunnet se på de sociale medier.

Om armslængdeprincippet i denne sag er brudt, skal jeg ikke kunne sige. Det behøver sådan set ikke at være tilfældet – der kan sagtens være langt mindre konspiratoriske årsager til pressens villige medvirken til at opretholde frygt-scenariet. For en ting er helt sikkert: Pressen er sensationslysten! Kan man bringe sindene i kog, sælger det bare flere aviser end en beroligende eller følelsesmæssigt neutral artikel. Når man f.eks. bliver klar over, at der er forøget forekomst af blodpropper efter covid smitte, sælger en overskrift som "Hjertelæger i chock – 5 gange så mange blodpropper efter corona", bare bedre end en mere retvisende over-skrift som "Corona ligner influenza – også hvad angår senfølger".

Erhvervsdrivende

Men de erhvervsdrivende må da være store tabere. Eller hvad?

Ja, sådan er det for en stor del af erhvervslivet. For de små butikker, for værtshuse og restauranter. Rigtigt mange brancher er hårdt ramt. Hele oplevelsesindustrien – herunder rejsebranchen. Samt alle de virksomheder, der er underleverandører til de tvangslukkede erhverv.

Men corona-krisen har ramt skævt. For mens de små erhvervsdrivende er ved at gå nedenom og hjem, trives supermarkeder som aldrig før i fraværet af konkurrence. Særligt de helt store aktører, der ud over salget af dagligvarer samtidig har en række andre forbrugsgoder som telefoner, TV, cykler m.m., trives som aldrig før. Dertil kommer de virksomheder, der har specialiseret sig i nethandel.

Tendensen er således, at de store aktører er i stand til at udvide deres forretninger, mens de små erhvervsdrivende bliver indhentet af betalingsstandsningen, mens de venter på at blive godkendt til hjælpepakkerne, og må dreje nøglen om.

Medicinalindustrien

En af de store vindere er medicinalindustrien.

Her er det igen primært giganterne, der profiterer af pandemien. Ser man på udviklingen i aktiekursen for Pfizer[18], så er den på et år (marts 2020 – marts 2021) steget med omkring 20%. Lige da deres vaccine blev godkendt, var stigningen endda på 40%, men den har siden tabt noget terræn igen. Men en stigning på 20% på et år må jo også siges at være en ganske pæn gevinst.

Dog ikke helt så pæn som den anden i EU godkendte mRNA-vaccine udvikler Modernas gevinst[19]. I samme periode er deres aktie steget med 400%.

En forudsætning for fortsat gevinst er imidlertid, at frygt-billedet opretholdes. Folk skal lade sig teste og vaccinere, og det gør de kun, hvis de kan se en fordel i det. Hvis store dele af befolkningen indser, at sygdommen ikke udgør nogen reel risiko for dem, vil interessen

18 Finanzen.net: Pfizer
19 Finanzen.net: Moderna

for at lade sig vaccinere dale, ligesom motivationen for at stille sig op i lange køer for at få foretaget tests langsomt men sikkert vil aftage. Hvis ikke befolkningen er skræmt, er der kun vaccinepasset tilbage til at motivere til fortsatte tests og tilbagevendende vaccinationer.

Kan man derimod opretholde frygt-niveauet, er der basis for, at folk lader sig revaccinere med jævne mellemrum. Det motiveres de bedst til, hvis man fastholder, at risikoen ved sygdommen er stor, og at vaccinens effekt mindskes med tiden – enten via dalende antistofmængde, eller ved at nye mutationer opstår, hvor man så kan skabe usikkerhed om, hvor vidt de tidligere vacciner har effekt mod de nye mutanter.

17
Faren ved covid19

Prisen, man som samfund skal betale for at undgå en fare, er naturligvis afhængig af farens størrelse. Under pandemiens første år har den reelle risiko, hvis man smittes med covid, ændret sig markant.

Ved pandemiens start meldte man fra Wuhan, at mortaliteten (dødsraten) var på 3,7%.

Da pandemien ramte Danmark, var der også en ret høj mortalitet i starten. Det skyldtes flere ting: Dels var sygdommen ny, og lægerne stod derfor uden reelle behandlingsmuligheder ud over at give de komplicerede tilfælde ilt, og respirator hvis de var rigtigt hårdt ramte. Dertil kom, at man i starten kun testede dem, der rent faktisk udviste symptomer, eller som havde været i kontakt med et kendt tilfælde af covid. Der var derfor efter al sandsynlighed et stort mørketal i starten, idet alle de symptomfri helt enkelt ikke lod sig teste. Derfor fik man en kunstigt høj mortalitet, da beregningsgrundlaget blev de relativt alvorligt syge - ikke de reelt smittede.

Tager man tallet[20] for 1. maj 2020 får man således en mortalitet på 6,4%. Tager vi det tilsvarende tal for 1. marts 2021, er tallet faldet til 1,15%.

---

20 Worldometers: Outcome of Cases (Recovery or Death) in Denmark

Det er imidlertid værd at bemærke, at det er regnet ud fra de *akkumulerede* smittetal og dødstal siden pandemiens start. Det aktuelle dødstal er en hel del lavere. Tager man f.eks. dagens tal mens jeg skriver dette (18.03.21), så opgiver Sundhedsstyrelsen på deres hjemmeside, at der indenfor det seneste døgn har været 786 nye smittetilfælde, og der har været 1 covid-relateret dødsfald. Det giver en aktuel mortalitet på 0,13%.

Samlet må man konkludere, at den aktuelle risiko for at miste livet i forbindelse med covid19 efterhånden er meget lille.

Det skal i øvrigt nævnes, at måden, man opgør covid-relaterede dødsfald på, er, at man medregner alle dødsfald, der sker indenfor den første måned efter, at den afdøde er konstateret positiv for covid. Det gælder også, hvis personen f.eks. er død ved et ulykkestilfælde 3 uger efter en positiv covid-test.

Men hvem er covid19 egentlig farlig for?

Et meget relevant spørgsmål, for covid19 diskriminerer en del, når den høster liv. Som det fremgår af fig. 3, er det helt klart den ældste del af befolkningen, der for alvor er i fare, hvis man bliver ramt af covid.

Det fremgår således, at 89% af de døde var over 70 år. Allerede 25. maj 2020 havde man på SSI[21] opgjort gennemsnitsalderen for dem, der på daværende tidspunkt var døde med covid, til 82 år. (Det har desværre ikke været muligt at få en senere opgørelse.) Til sammen-

---

21 Statens Seruminstitut: 9.500 danske COVID-19 patienter kortlagt for første gang. (SSI link 3)

ligning kan siges, at den gennemsnitlige levealder i Danmark er 81 år.

Alder	Antal døde med covid19
20-29	0
30-39	6
40-49	7
50-59	53
60-69	195
70-79	624
80-89	964
>90	545

Fig. 3. Dødsfald med covid19 opgjort 16.03.21.

Endvidere fremgår det af tallene fra Sundhedspolitisk Tidsskrift af 16.03.21, at 1917 ud af de 2394, der på opgørelsestidspunktet var døde med covid, havde underliggende kroniske sygdomme, der i særlig grad udsatte dem for risiko. Det svarer til 80%.

Man kan altså konkludere, at Covid19 primært er livsfarlig for den ældste del af befolkningen, og at langt de fleste har haft underliggende, kroniske sygdomme.

Har man rundet de 80, er risikoen for at dø, hvis man får covid, omkring 17%, og er man fyldt 90, stiger risikoen til 30%.

Det er jo alvorligt nok for de ældste. Men samtidig må man erkende, at har man nået så høj en alder, og har man samtidig en eller flere underliggende sygdomme, så har man statistisk ikke mange leveår tilbage.

Derved adskiller Covid sig fra influenza, der i højere grad også høster liv blandt de yngre, som ellers måtte forvente at have en del år tilbage at leve i. Er man under 40, er influenza en væsentligt farligere sygdom at blive ramt af end covid19.

Men hvad så med senfølgerne? De rammer da også yngre mennesker. Er de ikke alvorlige?

Det er de helt sikkert for den enkelte. Særligt for dem, der rammes af blodprop som senfølge, er situationen naturligvis alvorlig. Men det hører til sjældenhederne, og som nævnt tidligere er det en senfølge, der også er kendt fra influenza.

Langt de fleste senfølger er af mindre alvorlig karakter, omend disse selvfølgelig også er ubehagelige. De hyppigste senfølger er mistet smagssans, træthed, hovedpine og dårlig kondition, og de er alle i langt de fleste tilfælde forbigående. Præcis som det kendes efter en række andre infektionssygdomme.

18
Krisehåndtering i andre lande

Det kan være svært at sammenligne lande, når man skal vurdere covid-håndtering. Det skyldes, at landene er forskellige på mange parametre: Befolkningens alderssammensætning og sundhedstilstand er betydelige faktorer. Dertil kommer adgang til sundhedsydelser, der er af afgørende betydning for mortaliteten. Endelig har teststrategierne stor betydning for det statistiske billede, da mortalitet jo netop udregnes på baggrund af registrerede tilfælde.

Mørketallet vil alt andet lige være langt større i et land, hvor man ikke tester ret meget, og hvor testen måske skal betales af egen lomme, sammenlignet med et land som Danmark, hvor man tester rigtigt meget, og hvor det er gratis at lade sig teste. Hvor mange PCR-tests mon der ville blive foretaget i Danmark, hvis man selv skulle betale bare 1000 kr. for en test?

Alligevel er man nødt til i et vist omfang at se på, hvad andre har gjort, for at kunne vurdere, om ens egen strategi har været god. Men man må forsøge så vidt muligt at korrigere for forskellighederne.

Jeg vil i dette kapitel beskrive scenarier fra andre lande, hvor man har valgt andre strategier. Samtidig vil jeg prøve at belyse de øvrige forskelle, der gør, at smittetal og dødstal ikke er 1 til 1 sammenlignelige, og så lade det være op til dig som læser at foretage dine egne vurderinger.

Sverige

I vores naboland, Sverige, har man fra start af valgt en strategi, der er fundamentalt anderledes end den danske. Man har fra første færd ladet fagfolk, personificeret i stats-epidemiolog for Folkhälsomyndigheten Anders Tegnell, have afgørende indflydelse på strategien. Udgangspunktet har været, at kun flokimmunitet kan afslutte en pandemi, og man er gået efter at opnå den via naturlig smitte. Derfor har man også på et tidligt tidspunkt valgt at satse på afbødnings-strategi.

Det har betydet, at man det meste af tiden har holdt samfundet i gang med relativt få restriktioner. Kun når smittetallet har været højt, er man tyet til mere vidtgående tiltag.

Man har forsøgt at skærme de ældre. Det betød, at en af de få restriktioner, man relativt hurtigt indførte, var besøgsforbud på plejehjemmene.

Desværre lykkedes det ikke helt, og et par store plejehjem i Stockholm blev ramt hårdt i foråret 2020. Det skete, inden man havde fået lavet en strategi for, hvordan sådanne smitteudbrud skulle håndteres, og fik derfor den konsekvens, at man havde et ret højt dødstal i starten af pandemien. Det fik mange til at angribe den svenske strategi. Men efterfølgende fladede dødstallet ud.

Faktisk blev Sverige i efteråret 2020 beundret og misundt af de omkringliggende lande, da de på daværende tidspunkt havde betydeligt lavere smittetal end de fleste andre lande i Europa. Mange regnede med, at det måtte være fordi, man i Sverige allerede havde opnået flokimmunitet.

Det varede dog kun en kort stund, så blev også Sverige ramt af anden bølge. Men hvad var det egentlig, der skete?

Formentligt har de forskellige indfaldsvinkler, den restriktive versus den åbne, haft forskellige indvirkninger på smittehastigheden. Præcis som beskrevet i kap. 12. Ved afbødnings-strategi breder man smittetallet ud over tid. Men man reducerer næppe det samlede smittetal over en epidemi nævneværdigt. Når man forsinker smitten, forsinker man hele epidemiens forløb – og dermed også hvornår man rammes af bølgetoppe og bølgedale.

Man må dog konkludere, at det har haft en vis pris at holde samfundet åbent. Umiddelbart har Sverige haft flere døde pr. 100.000 indbyggere end de øvrige skandinaviske lande. At smitten slap ind på plejehjemmene, mens man stadig var uforberedt på den, bærer kun en del af ansvaret. Der har også under anden bølge været flere døde i Sverige end i nabolandene. Dog er det værd at bemærke, at sammenligner man det generelle dødstal for Sverige i 2020 med de forudgående 10 år, er der ingen signifikant overdødelighed – trods corona pandemien.

Når man ser på årsager til dødelighed i forhold til covid, bør man også tage i betragtning, at det svenske sundhedsvæsen er dårligere gearet til at håndtere en epidemi med en luftvejssygdom, end vi er i Danmark. Antallet af sengepladser med respirator er omkring halvdelen af, hvad vi har, set i forhold til indbyggertallet. Man har helt enkelt valgt at prioritere anderledes i sundhedsbudgettet, og det gør dem mere sårbare i forhold til en sygdom som covid19.

Thailand

Thailand befinder sig i skrivende stund i den mærkværdige situation, at det er uvist, om det i virkeligheden er arnestedet for covid19. Der er, som tidligere nævnt, indenfor det sidste par måneder kommet en teori om, at zoonosen, der formodes at være årsag til pandemien, ikke er sket som hidtil antaget på et vådmarked i Wuhan, men til gengæld på et tilsvarende marked i Bangkok.

Strategimæssigt har man valgt en om muligt endnu mere forsigtig tilgang, end man har haft i Danmark. I Thailand valgte man at lukke grænserne hermetisk til. Skulle man besøge landet, måtte man underkaste sig 14 dages karantæne. Transporten fra fly til karantænehotel foregik iført sikrede dragter, og man måtte ikke bevæge sig udenfor hotelværelset, mens karantænen stod på.

Det lykkedes – i alt fald tilsyneladende – at holde landet corona-frit i mange måneder. Til sidst blev man alligevel ramt af anden bølge.

Officielt har såvel smittetal som dødstal været ekstremt lave. Men spørgsmålet er, hvor retvisende tallene er. Der er i skrivende stund testet mere end 33 gange så meget i forhold til befolkningstallet her i Danmark sammenlignet med Thailand[22], så alene det gør, at man må formode, der er et betydeligt mørketal. Endvidere har der været ført en politik fra centralt hold, der formentligt har afholdt en del fra at undersøge og indrapportere tilfælde.

Dog er det sandsynligt, at den meget restriktive politik rent faktisk også har medført et reelt lavt smittetal.

---

22 Worldometers.

Men at holde virus ude af landet, som var formålet med at lukke grænserne hermetisk, lykkedes som sagt ikke.

Til gengæld har det medført store økonomiske problemer. I Thailand er mange afhængige af indtægter fra turisme. Hele landområder er gået bankerot, og ligger nu hen som veritable spøgelsesbyer. Depressionen har ført til en markant stigning i antallet af selvmord.

En del helt almindelige thaier, der tidligere har ernæret sig i turistindustrien, har været nødt til at modtage regulær nødhjælp uddelt af private velgørenhedsorganisationer for at klare krisen.

Mexico

I Mexico har man haft forholdsvist få restriktioner. Landet er opdelt i delstater, der jævnligt får opdateret status som hhv. grønt, gult, orange og rødt område, alt efter hvor højt det aktuelle smittetal er. Man indfører så lokale restriktioner, alt efter hvilken farve ens delstat har på det givne tidspunkt.

Jeg tog til Mexico i slutningen af januar 2021. At valget faldt på Mexico skyldtes netop, at man ikke havde nogen indrejserestriktioner.

På det tidspunkt blev rejser til Mexico frarådet af flere organisationer og lande, og der var ved min ankomst omkring 18.000 nyregistrerede smittetilfælde om dagen. Men selv i Mexico City, der på daværende tidspunkt var rød zone, var restriktionerne ikke i nærheden af at være så hårde som i Danmark: Alle butikker var åbne. Restauranterne var åbne, omend man skulle lukke kl. 19, og man måtte kun besætte 30% af de pladser, man ellers havde kapacitet til. Endvidere skulle man bruge mundbind ved indkøb og i offentlig transport.

I zoner med lavere smittetal var restriktionerne tilsvarende mildere. I orange zone var også barerne åbne, og der blev spillet levende musik. Dog måtte der ikke danses, og der skulle lukkes ved midnat. Men alt i alt meget lempelige restriktioner i forhold til stort set alle europæiske lande.

Den lempelige politik til trods var smittetallet mere end halveret, da jeg 5 uger senere forlod landet. I Mexico City var restauranternes lukketid i mellemtiden blevet ændret til kl. 22, selvom det var et af de områder, der stadig blev karakteriseret som en rød zone.

Eksemplet med Mexico viser noget om, hvor lidt vi er i stand til at påvirke smittetallene med restriktioner. Til trods for det meget åbne samfund, blev smittetallet halveret. Det skyldes, at pandemier jo som bekendt kommer i bølger. Når en epidemi først har udviklet sig til en pandemi, kan smittehastigheden reduceres med restriktionerne – man kan så at sige flade bølgerne ud – men at bølgerne kommer og går, kan vi næppe gøre det store ved.

19
WHO's rolle

Det har i min research været vanskeligt helt at danne et overblik over WHO's rolle i den politiske pandemihåndtering. Men at de har en central rolle, kan der ikke herske tvivl om. Det er trods alt WHO, der er FN's organ for international koordination på sundhedsområdet.

Samtidig er det en organisation, der har været ramt af en række skandalesager de seneste år: *Pandemrix* vaccinen, der førte til narkolepsi, var anbefalet af WHO – også efter, at mistanken om bivirkningen var kendt.[23]

Så sent som i 2020, en måned før den internationale sundhedskrise udløst af covid19 blev erkendt som en pandemi, bragte videnskab.dk en artikel[24], hvor man oplyste, at WHO havde lavet forsøg i Afrika med en ny vaccine, *Mosquirix*, der skulle forebygge malaria. Problemet var bare, at man ikke informerede hverken børnene eller deres forældre om, at de deltog i et forsøg. Hvad der gjorde sagen endnu mere uheldig var, at vaccinen fordoblede børnedødeligheden for pigers vedkommende.

Så skandalesager i forhold til vaccinationsprogrammer er bestemt ikke ukendte i WHO. Endvidere har der været en række korruptionssager. Lægger man dertil, at

---

23 WHO: Statement on Narcolepsy and Pandemrix.

24 Hoffmann, Thomas: "Skandalesag": WHO tester malariavaccine uden samtykke fra børn og forældre.

medicinalfirmaer har en stærk lobby i WHO, der arbejder for vacciners udbredelse, så er alle ingredienser for en ny skandalesag smidt i gryden.

I oktober 2020 blev det så udmeldt fra øverste myndighed i WHO, generaldirektør Tedros Adhanom Ghebreyesus, at forsøg på at opnå naturlig flokimmunitet i forhold til covid19 var direkte uetisk. Ja, faktisk omdefinerede han flokimmunitet til udelukkende at være et begreb[25], der *"...anvendes ved vacciner hvor den rette tærskel er nået, så en befolkning er beskyttet mod smittespredning."*

Det må have været noget af en bet for Anders Tegnell, at han fra verdens øverste officielle sundhedsmyndighed fik karakteriseret sin strategi som direkte uetisk.

Men budskabet var klart: Fra WHO's side blev ensidig satsning på de vacciner, der var på trapperne (men som endnu ikke havde opnået godkendelse), den eneste strategi, der var etisk og videnskabeligt forsvarlig.

At man derved ville gå i gang med et verdensomspændende vaccinationsprogram med vacciner, der stadig kun eksisterede i laboratorier, og som man først ville kende langtidsvirkningerne af flere år fremme i tiden, var åbenbart ikke noget, der på nogen måde bekymrede WHO's generaldirektør. Man må formode, at den øverste leder for WHO har været fuldt ud klar over, at vaccinerne tidligst ville kunne opnå godkendelse efter vanlige principper i 2023, da det var det tidligst mulige tidspunkt hvor man kunne have dokumentation for en rimelig sikkerhed i forhold til langtidseffekter.

---

25 Ugeavisen: WHO kalder flokimmunitet som coronastrategi for uetisk.

At de efter gængs praksis først ville kunne opnå reel godkendelse flere år fremme i tiden, var reduceret til en ubetydelig detalje. Satsning på vacciner, der højst ville kunne opnå "nød-godkendelse" på dispensation indenfor overskuelig fremtid, var det eneste etisk forsvarlige, måtte man forstå på WHO-bossen.

Man kunne også vende problematikken en omgang og stille spørgsmålet: Er det etisk forsvarligt at massevaccinere verdens befolkning med en vaccine - fremstillet med en helt ny metode, som virker efter helt nye principper, og som aldrig tidligere har været godkendt til profylaktisk brug på mennesker - uden at den i det mindste er blevet testet og godkendt efter de samme principper, som normalt gælder for vacciner fremstillet på helt traditionel vis? For de traditionelle vacciners vedkommende man trods alt generationers erfaring i, hvordan de påvirker immunforsvaret – og kroppen som helhed. Det har vi ikke for hverken mRNA-vaccinernes vedkommende eller for viral vektor vaccinerne. Alligevel har man påbegyndt massevaccination med dem uden at de har været gennem den vanlige godkendelsesprocedure.

Men hvad er konsekvenserne af en ensidig satsning på vacciner som løsningen på corona-krisen? Hvilke konsekvenser har det for samfundet? Hvilke konsekvenser har det for os som individer? Og hvad er fremtidsudsigterne? Disse forhold vil blive belyst i de kommende kapitler.

V

Konsekvenser

20
Konsekvenser

Her i bogens næstsidste del skal vi se lidt på, hvilke konsekvenser covid-krisen har haft. At corona har ændret verden, kan der ikke herske tvivl om. Men en pandemi kan håndteres på mange måder. Hvad er konsekvensen af den måde, vores politikere har valgt at håndtere pandemien på?

Vi har allerede tidligere set, at der i erhvervslivet var både tabere og vindere af corona-krisen. At oplevelsesindustrien har tabt uhyrlige summer kan ikke overraske i et samfund, hvor al morskab er lukket ned. Ligeledes kan det heller ikke undre, at visse dele af medicinalindustrien blomstrer under en sundhedskrise.

For samfundet som helhed har jeg svært ved at danne mig et indtryk af, hvad prisen bliver på sigt. Men at der bliver en kæmpe regning, der skal betales for nedlukningen - med alt hvad den indebærer af kompensationsordninger, øget ledighed og tabte indtægter for skat, moms og afgifter - kan der næppe herske tvivl om.

Læg dertil de ekstra sundhedsudgifter; testning af befolkningen for et anslået beløb på op mod 100 milliarder om året, hvis Mette Frederiksens ambition om, at vi alle skal testes to gange om ugen skal realiseres. Det svarer til, hvad det koster at drive hele sygehusvæsnet. Der er – heldigvis kan man sige - en del, der ikke ”samarbejder” med statsministeren på det område, og den faktiske udgift bliver derfor nok noget lavere.

Men selv om det så kun skulle komme til at koste 50 milli-arder om året, kan man med rette rejse spørgsmålet, om det er den måde, vi får mest sundhed for pengene på?

Endelig er det heller ikke gratis at gennemføre selve folkevaccinationsprogrammet. En politik, der for øvrigt har medført, at man har indført et corona-pas, som vil gøre det endnu sværere for de små erhvervsdrivende igen at få gang i hjulene, når de skal afvise en del af kunderne i døren.

Nu er økonomi ikke lige min spidskompetence, så jeg har derfor valgt at lade kapitlet om vindere og tabere gøre det ud for den økonomiske konsekvensberegning her i bogen, og ikke komme yderligere ind på de økonomiske aspekter af corona-krisen.

Hvis vi i stedet retter blikket mod selve effektiviteten af indgrebene i forhold til det at bekæmpe virus, så har der været delte meninger blandt eksperterne. Tilhængerne af den førte politik har ofte hævdet, at årsagen til, at vi i Danmark ikke har været så hårdt ramt af pandemien, skal tilskrives restriktionerne.

At restriktioner kan reducere hastigheden, hvormed virus spreder sig, er jeg, som nævnt i de tidligere kapitler, enig i. Jeg er så af den opfattelse, at de ikke vil påvirke det *samlede* smittetal nævneværdigt. Med mindre man har en effektiv vaccine, der kan give immunitet i befolkningen. Så giver det selvfølgelig mening at nedsætte smittehastigheden, således at man vinder tid i forhold til vaccinationerne.

Problemet er bare, at vi *ikke* har en effektiv, gennemprøvet og sikker vaccine. Vi har et medicinsk forsøgspræparat, der er hastegodkendt på dispensation, fordi politikerne krævede handling. Verden er gået i panik over et nyt virus, der har en beskeden mortalitet, som måske nok ligger lige lidt over, hvad vi ellers er vant til fra sæsoninfluenzaer.

Man må konkludere, at restriktionerne næppe kan tage hele æren for, at vi har haft lavere smitte- og dødstal i Danmark, end i visse andre lande. Og *så* supergode - eller heldige - har vi jo trods alt heller ikke været. Norge har f.eks. lavere smittetal og færre døde målt i forhold til befolkningens størrelse end Danmark. Så det er uvist i hvilket omfang, restriktionerne rent faktisk har været smittereducerende.

Hvad vi til gengæld meget tydeligt kan se, er at restriktionerne har medført en hel del alvorlige konsekvenser. Jeg har udvalgt en række områder, men der er sikkert flere, man kunne tage fat i. Områderne er: Folkesundhed generelt, trivsel, børns udvikling, opsplit-ning af samfundet og sidst, men ikke mindst, risikoen for, at vi som art bliver afhængige af vaccinen, som muligvis skal gentages med jævne mellemrum.

21
Folkesundhed

Under corona-krisen er der blevet foretaget omfattende omrokeringer i sundhedsvæsnet. Man har forberedt sig på det værst tænkelige scenarie, og oprettet adskillige intensiv sengepladser med respirator. Store ressourcer er blevet omfordelt for at tilgodese corona beredskabet. Alt sammen helt fornuftigt, da man i foråret 2020 stod med et nyt virus, som man ikke helt kendte alvoren af.

Det fik imidlertid den konsekvens, at mange andre ikke-akutte behandlinger blev sat i bero. Så den første konsekvens for folkesundheden var, at en del behandlinger blev udskudt. Den del har i sig selv næppe forårsaget ret mange dødsfald, da de udsatte behandlinger primært ”blot” gav ubehag hos patienten.

Men samtidig fik mange det indtryk, at sundhedsvæsnet generelt var presset, og en del var ydermere bekymrede for egen sikkerhed ved at opsøge lægehjælp. Mange blev helt enkelt angste for, at de, ved at opsøge lægehjælp, ville pådrage sig smitte med den sygdom, de gennem medierne erfarede var ekstremt farlig og til stede overalt. Og hvor ville risikoen være større end ved at opsøge de samme mennesker, der varetog behandling og pleje af de smitsomme corona patienter?

Konsekvensen blev, at et stort antal reelt syge patienter udskød det lægebesøg, de ellers ville have foretaget med de symptomer, de oplevede. Således registreredes et fald i antallet af diagnosticerede kræfttilfælde[26] på 33% i perioden marts-maj 2020. Det er jo næppe fordi coronaen har medført, at færre får kræft. Folk undlod bare at gå til læge. På sigt betyder det, at en del tilfælde ikke opdages tids nok til at redde patientens liv. Håndteringen af corona vil således få den konsekvens, at et unødvendigt stort antal patienter dør af kræft de kommende år.

Men skaden begrænser sig næppe til kræftpatienter alene. I februar 2021 bragte weekendavisen en artikel[27] af Lone Frank, hvor hun redegør for overdødelighed af en række sygdomme målt i USA: Hjertesygdomme 89%, diabetes 96%, Alzheimers 64% og for hjerneblødninger og blodprop i hjernen 35%.

Artiklen kom dagen efter, at TV2 havde bragt nyheden om, at der havde været en overdødelighed i EU på 450.000 personer i perioden marts-november 2020. Historien meldte imidlertid ikke noget om, hvad de mange europæere var døde af, men mon ikke nedlukningen også har haft betydning på denne side af Atlanten?

Endelig er der et helbredstab af ukendt omfang i forbindelse med, at stort set alle sportsaktiviteter har været lukket ned i lange perioder. Næst efter rygestop er det at begynde at dyrke motion den bedste enkelte livsstilsændring, man kan foretage for sit helbred.

Restriktionerne har flyttet danskerne fra sportsklubberne hjem foran fjernsynet med slikskålen indenfor

---

26 Kræftens bekæmpelse: Bekymrende fald i nye kræftdiagnoser under corona krise.

27 Lone Frank: Dræber nedlukningen flere end den redder?

rækkevidde, hvilket har fået corona-kiloene til at sætte sig på befolkningens sideben. Hvad det får af konsekvenser for folkesundheden de kommende år, kan man kun gisne om.

Når befolkningen efter krisen rejser sig af coronastøvet, er der helt sikkert en del tidligere aktive motionister, som får svært ved at slippe Netflix igen til fordel for gymnastiksale og grønsvære.

Læg dertil hvad nedlukningen betyder for aktiv leg og bevægelse for børn og unge i en tid, hvor gymnastiktimerne er sløjfede og undervisningen flyttet fra gymnastiksale og klasseværelser til hjemmeundervisning bag skærmen. Selv de frikvarterer, hvor der før blev leget aktive lege som kongeløber og sjipning, er nu blevet ofret på "folkesundhedens" alter.

Meget tyder således på, at de afledte effekter af den langvarige corona nedlukning vil kræve flere menneskeliv, end reduktionen af covid smitte redder.

22
Trivsel

Sundhedspsykologi er en disciplin, der beskæftiger sig med den tætte relation, der er mellem psykisk velvære og somatisk helbred. Da jeg gik på universitetet, var den et nyt specialområde, der for nogle havde en nærmest kontroversiel klang. I dag vil de færreste nok afvise sammenhængen mellem mental trivsel og somatisk sundhed. Det er således naturligt at diskutere trivsel i forlængelse af folkesundhed.

Det er derfor paradoksalt, at man på folkesundhedens alter i den grad har ofret den mentale trivsel under corona krisen. Paradoksalt, fordi det er et ubesvaret spørgsmål, om trivselsreduktionen i sig selv koster flere leveår, end covid19 ville gøre, hvis den fik lov at sprede sig uden restriktioner. Vi var i sidste kapitel inde på, hvordan om-allokeringerne af ressourcer indenfor sundhedsvæsnet - kombineret med angst for at opsøge lægehjælp - kan have kostet flere leveår end coronaen, men dertil skal lægges tabet af de leveår, som den psykiske mistrivsel forårsager.

Det er næppe muligt på nuværende tidspunkt at estimere, hvad mistrivslen har forårsaget af somatiske lidelser, eller i hvilken grad den har kompliceret eksisterende somatiske lidelser. Alene den underrapportering, jeg nævnte i det foregående kapitel, gør det umuligt at få et billede, der er sammenligneligt med tilstanden før corona-krisen.

Man kunne tænke, at et meget håndfast tal for, hvor meget danskerne er påvirkede at corona-krisen måtte kunne findes i selvmordsstatistikken. Det har ikke været muligt i skrivende stund at få en generel, landsdækkende opgørelse over selvmord i 2020, men den umiddelbart gode nyhed er, at tal[28] fra Region Hovedstaden og Region Sjælland tyder på, at der ikke har været de store udsving i det samlede antal af gennemførte selvmord sammenlignet med de seneste 5 år.

Til gengæld bragte DR i marts 2021 en artikel[29], der omhandlede selvmord blandt unge kvinder i alderen 20-24 år. Der havde man i 2020 registreret det højeste antal i 20 år – faktisk en tredobling af gennemsnittet for de foregående 10 år.

Noget tyder således på, at det i særlig grad er de unge, der først bukker under psykisk for corona restriktionerne. Dette aspekt vil blive debatteret særskilt i næste kapitel.

En forklaring på, at den overordnede statistik for alle aldersgrupper ikke afviger nævneværdigt fra de foregående år, kunne være, at restriktionerne også har haft en positiv effekt for trivslen for en særlig gruppe sårbare voksne, der ellers befandt sig i pressede situationer. Det var, op til krisens start, hyppigt fremme i medierne[30], at en del langtidssyge fik selvmordstanker[31] grundet det pres, de blev udsat for i jobcentrene.

---

28 Center for Selvmordsforskning.

29 Rosenqvist, Erna Bojesen: Selvmord blandt unge kvinder er det højeste i 20 år: "Det er bekymrende, at vi har så lidt information.

30 Den offentlige: Læger: Jobcentre kan drive borgere på selvmordets rand.

Skal man således sige noget positivt om restriktionerne, er det, at de tilsyneladende har sat en midlertidig stopper for den heksejagt, mange langtidssyge følte sig udsat for. Reduktionen af selvmord/selvmordsforsøg på baggrund af reduceret pres på nogle af samfundets mest udsatte har muligvis kompenseret for det antal selvmord, man må formode, krisen også har forårsaget hos de ældre aldersgrupper. Den effekt ses ikke hos de 20-24 årige, da de kun i meget ringe grad udgør jobcentrenes klientel af langtidssygemeldte.

Hvad vi til gengæld ved om voksnes reducerede trivsel er, at det har ført til isolation med deraf følgende depression for mange. Mere end 1 million voksne danskere lever i husstande[32], hvor de er den eneste beboer. Eftersom mange arbejdspladser og næsten alle fritidstilbud har været lukket ned, har den del af befolkningen oplevet en ganske høj grad af isolation. At det er skadeligt at være isoleret fra social kontakt, kan der næppe herske tvivl om. Der er en årsag til, at loven begrænser muligheden for, hvor lang tid man må lade fængslede sidde i isolation. Mange helt almindelige voksne har under corona restriktionerne oplevet, at deres kontakt til andre mennesker har været på niveau med den, fanger i isolation udsættes for. I en tid, hvor vi er blevet opfordret til at begrænse vores sociale kontakter til "bobler" på 5 personer, må man bare minde om, at det langt fra har været alle beskåret at blive medlem af en sådan boble.

---

31 Henriksen & Møller: Vi frygter, at jobcentrene bidrager til selvmord.

32 Danmarks Statistik: Husstande.

Jeg tror, det er vanskeligt for de politikere, der har familie - eller som i det mindste har en hverdag i et folketing, hvor de, på trods af at der også er restriktioner der, trods alt interagerer med en række andre mennesker – at sætte sig ind i, hvor isoleret man er som enlig, der er frataget muligheden for såvel arbejde som fritidsaktiviteter og kulturelle tilbud.

Men en ting er, hvad isolationen gør ved os som mennesker. En anden faktor er angst, og der har været flere angstprovokerende faktorer under covid-krisen; dels er der en direkte faktor – angst for at få covid – dels er der angsten for følgerne af krisen.

Det sidste drejer sig om alt fra angst for, om ens privatøkonomi vil overleve nedlukningerne, til hvilket samfund vi ender op med på den anden side af krisen.

Hvad angår den direkte angst - angsten for at blive ramt af covid - så har såvel politikere som presse været medvirkende til hele tiden at bære nyt ved til bålet med daglige smittetal, kontakttal og dødstal slået stort op i medierne flankeret af historier om nye varianter og anekdotiske historier om patienter, der er døde, eller som har fået senfølger, der udpensles ned i mindste detalje.

Narrativet om den ekstremt farlige sygdom understøttes af restriktionerne. Skulle man et øjeblik have glemt faren, kan man bare bevæge sig ned i Brugsen, hvor alle er iført obligatoriske mundbind, og man ikke er velkommen uden behørig afspritning af hænder ved indgangen. Snart bliver det svært at fortrænge "faren" så meget som et øjeblik, for enten er man hele tiden på forkant med corona-passet, der skal opdateres med test mindst hver tredje dag, eller også er man de facto udelukket fra deltagelse i samfundet.

Kombinationen af angstprovokerende faktorer, og for manges vedkommende fraværet af andre at dele bekymringerne med, gør de sårbare syge - og de stærke sårbare.

Det afspejler sig allerede nu på de psykiatriske modtagelser. I februar 2021 råbte en ledende overlæge vagt i gevær, da hun i en kronik[33] i Berlingske Tidende berettede om, hvordan mediernes konstante fokus på sygdom, smitte og død får patienterne til at stå i kø ved hendes psykiatriske akutmodtagelse. At mange psykiatriske patienter oplever, at deres vanlige behandling fra kommunens side er suspenderet og erstattet med en telefonsamtale, er kun med til at forværre situationen.

33 Ros, Inger: Overlæge: I mit arbejde på den psykiatriske akutmodtagelse i København ser jeg de sande ofre for covid-19-pandemien.

23
Børn og unge

Den højeste pris for corona nedlukningerne bliver formentlig betalt af børnene og de unge. Det er der flere årsager til. Dels gennemgår børn deres udvikling i faser, og sociale kontakter er af afgørende betydning for, at udviklingen foregår optimalt.

Dertil kommer, at vi oplever tid på baggrund af den tid, vi allerede har levet. Det er årsagen til, at vi livet igennem får følelsen af, at tiden går hurtigere og hurtigere. Groft sagt føles 1 år, når man er 15, som dobbelt så lang tid, som når man er 30. Når samfundet lukker ned i månedsvis, vil mange børn og unge således føle det, som om nedlukningen er uendelig.

Det kan også være en af årsagerne til, at vi ser en kraftig øgning af selvmordsraten blandt unge, men at den samme tendens ikke ses for de ældre aldersgrupper. Måske kommer det på et senere tidspunkt, når hjælpepakkerne stopper, og konkurserne for alvor holder deres indtog? Det er i alt fald den tendens, man har set i Thailand, hvor der har været endnu hårdere nedlukninger end i Danmark, og hvor der ingen kompenserende hjælpepakker har været.

Børnene og de unge har betalt flere høje priser: Dels er der et tab i forhold til læring af faglige kompetencer. Dertil kommer den reducerede trivsel, med hyppigt induceret angst fra alle officielle kilders side, og endelig de reducerede udviklingsmuligheder.

Uanset hvor meget hjemmeundervisning man laver over nettet, kan kvaliteten for langt de fleste elever aldrig komme i nærheden af den, man oplever ved fysisk fremmøde. Særligt de fagligt svage, samt dem, der bor under forhold, som er dårligt egnede til at modtage undervisning i, kommer til at lide under den undervisningsform.

Dertil kommer elever, der normalt er fagligt stærke, men som har svært ved at fastholde opmærksomheden på undervisningen, når den foregår hjemme via en skærm.

Det læringsmæssige tab, der er forårsaget af, at de gennem adskillige måneder har været henvist til hjemmeundervisning, kommer hele uddannelsessystemet til at lide under det kommende årti eller to.

Men det er ikke kun faglige kundskaber, der erhverves ved fremmøde på skolen. Det er også sociale kompetencer. Evnen til at samarbejde skal erhverves gennem leg og samspil med *ligemænd* – altså jævnaldrende kammerater. Meget tyder på, at evnen til at indlære specifikke sociale færdigheder er bundet til bestemte alderstrin. Forspildes chancen for at lære en given social kompetence, fordi man er isoleret fra jævnaldrende, vil det i mange tilfælde være et blivende socialt handikap, som barnet tager med sig ind i voksenlivet.

Af den grund kan man frygte, at den mangel på træning af sociale kompetencer, børnene allerede har været udsat for under det seneste års nedlukninger, vil præge det sociale samspil i vort samfund negativt i al overskuelig fremtid.

Sidst men ikke mindst er der børnenes trivsel. Dels er der savnet over at blive frarøvet de kontaktmuligheder, de som sociale væsner har behov for, men de bliver også udsat for en stort set uafbrudt angstinduktion. Alene det at være henvist til hjemmeundervisning, fordi kammeraterne er "farlige" smittekilder, er angstinducerende.

Når de så endelig får lov at komme i skole igen, skal det foregå med afstand, og som det sidste nye også med test flere gange om ugen. Herved fastholdes fokus på den farlige verden med den farlige sygdom.

Hvordan mon det er at være det barn, der får en positiv test, og som dermed er årsag til, at hele klassen igen sendes hjem til undervisning via skærmen? Og hvor angstprovokerende er tanken om at blive den, der næste gang har en positiv test?

Dertil kommer et tab af identitet: De fritidstilbud, der normalt udgør en stor del af børns livsindhold, og som samtidig tjener som identitetsmarkører, er også omfattede af nedlukningerne. Lige pludselig er man ikke fodboldspiller, rytter eller korsanger længere.

Ikke overraskende har det vist sig, at angstlidelser blandt børn har været tiltagende både i antal og styrke under corona krisen. Et studie [34] foretaget på Århus Universitet har vist, at børn og unge med OCD fik forværret deres tilstand, og at der i mange tilfælde kom tilstødende angst og depression.

---

34 Nissen, Højgaard & Thomsen: The immidiate effect of COVID-19 pandemic on children and adolescent with obsessive compulsive disorder.

OCD er i sig selv grundlæggende en angstlidelse, men der er det specielle ved den, at man har såkaldt magisk tænkning. Man har følelsen af, at man har ansvar for både sit eget og andres ve og vel, og at faren for, at noget går galt, kan elimineres via ritualer, der ofte går på noget med renhed, vaske hænder et specielt antal gange etc. Det kan ikke undre, at børn og unge med OCD får forværret deres symptomer, når de hele tiden bekræftes i deres magiske tænkning gennem medierne (rituel afspritning, håndvask, maskebrug og test forhindrer farlig covid), og når deres symptomer på den måde tilskyndes fra de officielle myndigheders side.

Ser vi på de unge - teenagerne og de unge voksne - så er billedet nogenlunde det samme. Også de får læringsmæssige huller, som for en dels vedkommende fører til psykiske problemer, da de hele livet er blevet tudet ørerne fulde af, hvor vigtigt det er at få en uddannelse. Også de er i en fase, hvor sociale færdigheder stadig udvikles, og hvor identiteten er under konstant opbygning.

Men her kommer også en ny faktor ind, for mulighederne for at feste er også stærkt reducerede. Men når man er ung, og ens seksualitet vækkes, har man behov for arenaer, hvor man kan møde mulige partnere. Der har fester og byture en central funktion. For den unge nytter det ikke så meget, at det hele muligvis bliver bedre til næste år, hvis det er her og nu, man er forelsket. Skulle en ung driste sig til at deltage i en u-autoriseret arena for møde med andre unge – f.eks. en spontan fest i en park opstået omkring en ghetto-blaster, er mange hurtige til at udskamme dem som uansvarlige.

Med indførelsen af jævnlige tests for overhovedet at få adgang til sin uddannelse og deltagelse i samfundet i øvrigt, er jorden gødet for, at også de unge skal tage imod en vaccine mod en sygdom, der ikke er alvorlig for dem. Vel at mærke en vaccine, som er udviklet på rekordtid, og hvor man intet kender til langtidseffekterne.

Ærligt talt – tangerer det ikke aldersfascisme? De unge skal åbenbart udsætte sig for en ukendt helbredsrisiko for at reducere den i forvejen meget lille risiko for, at os over 50 får et fatalt covid forløb.

24
Opsplitning af samfundet

Siden de første restriktioner blev indført i marts 2020, har de været med til at splitte befolkningen i to grupper: Dem, der var enige i regeringens politik, og dem, der var uenige. Regeringen har fra starten af aktivt faciliteret opsplitningen.

Sidst i april 2020 kunne Politiken[35] afsløre et oplæg til en tale holdt af Mette Frederiksen, hvor der stod, at hun skulle huske at udskamme dem, der *"ikke har været fornuftige"*. Dette underforstået, at de ufornuftige var erhvervslivet, der protesterede mod at være lukket ned, og unge, som havde tilladt sig tættere socialt samvær, end regeringen rådede til.

Den målrettede opsplitning er altså blevet iværksat på et tidspunkt, hvor regeringen holdt adskillige ugentlige pressemøder. Parolen udadtil var, at det var fællesskabet – en socialdemokratisk kerneværdi - der skulle bære os gennem krisen. Men virkeligheden blev, at dem, der var uenige med regeringen, blev sat udenfor fællesskabet.

Taktikken var effektiv. Snart blev tonen skærpet i debatten på de sociale medier. Dristede man sig til at være kritisk overfor den førte linje, var man i manges øjne en

35 Kristiansen, C. L., Skærbæk, M., Nissen, M.: Trods foto af taleudkast: Mette Frederiksen afviser udskamning.

klaphat, - en egoistisk idiot, der tydeligvis ikke forstod alvoren i pandemien.

Omvendt blev der hurtigt taget til genmæle fra skeptikernes side; en del kaldte dem, der gik ind for regeringens narrativ, for får.

I begyndelsen af pandemien var opbakningen til regeringen imidlertid solid. Men i takt med, at tiltagene trak ud, gik det op for flere og flere, at de ikke havde afsæt i sundhedsfaglige vurderinger, hvilket ellers var blevet hævdet fra starten.

Da restriktioner, efter en pause hen over sommeren, blev genindført i efteråret 2020, steg skepsissen. Det, som i starten var blevet lanceret som et par ugers restriktioner, der skulle bremse smitteudviklingen, var i forvejen blevet til måneder. Ved genindførelsen havde mange fået så meget viden om covid, at de ikke længere havde den samme frygt for sygdommen, som de havde haft i foråret. I det segment var der til gengæld opstået en frygt for, at samfundet havde bevæget sig ud på et skråplan, der ikke lod sig rette op.

Da regeringen aflyste fejring af jul og nytår på hele befolkningens vegne, havde endnu flere fået nok. Selv oplevede jeg det i de facebook-debatter, jeg deltog i. Hvor der i foråret havde været meget lidt opbakning til mine synspunkter, tilsluttede flere og flere sig nu. Nogle undskyldte endda, at de ved pandemiens begyndelse havde været så afvisende overfor mine synspunkter. Jeg har dog også været ude for, at nogle – folk, jeg også har mødt i den virkelige verden – ikke længere ville være facebook venner med mig, fordi jeg ikke delte deres holdning. Det havde jeg aldrig været ude for før.

Årsagen til, at vi her et år efter pandemiens indtog står med det mest opsplittede samfund, jeg har oplevet i min levetid, er angst. Når man er angst, vil de fleste gribe til drastiske midler for at generhverve trygheden. For dem, der ikke kender til biologien bag en epidemi, og som bliver angste for selv at få sygdommen, giver den tanke, at myndighederne har styr på tingene – styr på virus – tryghed. Ved at anfægte den officielle strategi, stiller man spørgsmålstegn ved den autoritet, der er kilde til deres tryghed.

Dem, der er angst for covid19, ser således skeptikere som farlige for deres eget liv og helbred. Omvendt ser dem, der er bange for den udvikling samfundet har taget under pandemien, tilhængerne af den førte strategi som farlige for deres frihed – som personer, der undergraver det samfund, de kender og holder af. Da begge parter føler, at modparten er til direkte fare for dem selv, bliver retorikken hård og tonen ofte direkte ag-gressiv.

I begyndelsen af februar 2021 kunne medierne meddele, at der nu var enighed mellem regeringen, Dansk Industri og Dansk Erhverv om at arbejde for indførelsen af et digitalt coronapas. Da man i april begyndte at genåbne samfundet, var det blevet en realitet.

Problemet med coronapasset er, at det opdeler samfundet i et decideret A- og B-hold. A-holdet er de vaccinerede, der efterfølgende frit kan færdes i samfundet. B-holdet er de u-vaccinerede, der enten må lide under fortsat test-tyranni, eller afstå fra at tage fuldt del i samfundet. Dermed er opsplitningen af befolkningen blevet officiel og lovsanktioneret.

Sideløbende med coronapassets indførelse har man intensiveret testningen. Man har en ambition om, at alle ikke-vaccinerede danskere skal testes 2 gange ugentligt. Danmark er i skrivende stund den nation i verden, hvor der testes flest i forhold til befolkningstallet.

Regeringen har udlagt det som en "samfundskontrakt", at man enten skal være vaccineret eller have en højst 72 timer gammel PCR- eller antigen-test, for at få lov til at deltage i de aktiviteter, der genåbnes: Det drejer sig om alt fra at få lov at deltage i den uddannelse, man går på, til besøg hos frisør eller indtagelse af en forfriskning på en cafe.

Man kan dog til nød også få lov at deltage i løjerne, hvis man har været smittet, og dermed har opnået naturlig immunitet. Dette var i starten begrænset til perioden fra 2 uger efter man er testet positiv for covid til 12 uger efter. I sølle 10 uger havde man altså lov til at deltage i samfundet efter erhvervelse af naturlig immunitet. Det er dog senere ændret til 8 måneder.

En antistof-test (ikke at forveksle med antigen-testen), der er den type test, der kan afgøre, om man har opnået naturlig immunitet efter en ikke-opdaget covid-infektion, tilbydes i øvrigt slet ikke i det danske sundhedsvæsen, selvom det er en langt billigere test at udføre end PCR-testen.

Sammenlagt virker det som om, hele cirkusset med coronapas og intensiveret testning på sigt tjener det overordnede formål at presse danskerne til at lade sig vaccinere. Når det nu ikke lykkedes at få resten af folketinget til at billige, at man kunne vaccinere skeptikerne med tvang, har regeringen åbenbart fundet det nødvendigt at *nudge* befolkningen til at gøre det ved de facto at gøre tilværelsen u-udholdelig for de ikke-vaccinerede – ved at sætte dem på et B-hold, der tvinges ud på samfundets sidelinje uden ret til at deltage i helt basale livsaktiviteter.

25
Vaccineafhængighed

Det står således klart, at regeringen satser på, at så mange som muligt lader sig vaccinere – helst hele befolkningen. Det til trods for, at vaccinerne kun er godkendte på dispensation, og tidligst kan opnå fuld godkendelse i 2023. Vacciner, der er helt nye og som fundamentalt adskiller sig fra alle tidligere vacciner.

Som nævnt tidligere kender man intet til den langsigtede bivirkningsprofil – til hvad der kan opstå af utilsigtede effekter efter 2-3 år. Ja – faktisk er vaccinerne så nye, at man end ikke ved, hvad der kan opstå af bivirkninger på kortere sigt. Det førte bl.a. til, at man ophørte med at bruge vaccinen fra AstraZeneca efter få måneder, da den viste sig at kunne udløse svære tilfælde af blodpropper.

Men det er ikke det eneste problem, der er i at udbrede så nye og lemfældigt afprøvede vacciner i et folkevaccinationsprogram. Man aner nemlig heller intet om, hvor lang tid den tilsigtede effekt af vaccinerne holder. Man har, efter vaccinationsprogrammet blev påbegyndt, iværksat en undersøgelse[36] på Rigshospitalet, Herlev Hospital, Gentofte Hospital samt Nordsjællands Hospital, der skal afdække effekten. Her vil man undersøge en gruppe patienter for antistoffer 3, 6, 12, 18 og 24

36 Poulsen, Louise Andresen: Stort dansk studie tester corona-vaccine.

måneder efter vaccination. Men fakta er, at ved vaccinationsprogrammets udrulning har man ingen viden om, hvor lang tid immuniteten holder.

"Men vi hører hele tiden, at vaccinerne er testede på lige så mange som alle andre vacciner", vil nogen måske fremføre. Det er muligvis også rigtigt. Men måden, de er testede på, afviger fundamentalt fra det, der er normalt, og som er forudsætningen for at opnå normal godkendelse af en vaccine. Igen er det værd at huske på, at de nuværende covid vacciner kun er godkendt på dispensation, og tidligst kan opnå reel godkendelse i 2023.

Det holder således ikke, når man f.eks. på facebooks informationscenter for corona kan læse: *"Fakta om COVID-19. Disse fakta kommer fra Verdenssundhedsorganisationen. De retter op på almindelige, falske rygter om coronavirus (COVID-19). Udviklingen af covid-19-vaccinen blev intensiveret, uden at det påvirkede sikkerheden."*[37]

Hvordan kan man fra officielt hold skrive noget, der er så fjernt fra virkeligheden? Man er - om noget - selv med til at sprede falske rygter med budskabet.

Sandheden er, at vaccinerne nok blev testet på det antal personer, der svarer til det normale. Men i den normale praksis foregår det over tre på hinanden følgende faser, hvor man tester færrest i fase 1 og flest i fase 3. Men med covid vaccinerne er de tre faser startet samtidig, og de har dermed kørt sideløbende. Det giver to helt afgørende svækkelser i forhold til den normale godkendelsesprocedure: 1) Man udelukker dermed muligheden for at bruge erfaringerne fra tidligere faser i

37 Facebooks Informationscenter for corona.

planlægningen af fase 3 studiet. Det forringer i sig selv studiet. 2) Men endnu værre er det, at man absolut ingen ide har om, hvad effekten af vaccinen er på sigt.

Vi står altså med en række vacciner, der alle er udviklede på mindre end 1 år mod normalt mindst 4 år, som vi ikke kender bivirkningsprofilen af, og hvor vi ingen erfaringer har om, hvor lang tid effekten holder. Er det 1 år? 2 år? Eller måske kun 6 eller 3 måneder?

I begyndelsen af april 2021 udsendte Moderna det "glade budskab", at deres vaccine virkede i mindst 6 måneder[38]. Konklusionen var gjort på et lille studie af 33 personer, og der var et markant fald i antallet af antistoffer, jo højere alder den vaccinerede havde.

Alt andet lige ser immuniteten ud til at have begrænset holdbarhed. Dermed kan vi stå i en situation, hvor hele befolkningen skal revaccineres med jævne mellemrum. Og hvem tør stoppe med at tage vaccinationerne, hvis man først er begyndt at manipulere med det naturlige immunforsvar i forhold til covid19?

For de virale vektor vacciners (som dem fra AstraZeneca og Johnson & Johnson) vedkommende gælder endvidere, at immunforsvaret muligvis vil reagere på selve vektoren – det adeno virus, man har genmanipuleret til at ligne corona. Det er uvist, hvilken betydning det får for muligheden for overhovedet at revaccinere. Man kan altså for viral vektor vaccinernes vedkommende stå i den situation, at der er behov for revaccination for at opretholde immuniteten mod corona, men samtidig kan dette være risikabelt grundet immunforsvarets reaktion mod den vektor-virus, der er anvendt til at

---

38 Munell, Ernie: Moderna COVID vaccine offers protection for at least 6 months, study finds.

overføre det protein, der skal danne antistoffer mod corona. Det er endnu en konsekvens af den forhastede udviklings- og godkendelsesprocedure.

Endelig skal det nævnes, at vaccinationsprogrammet i sig selv indebærer en risiko for at øge mutationsraten. Det kan ske, hvis en vaccineret smittes med covid, hvilket allerede er sket, da ingen af vaccinerne giver 100% immunitet.

Det, der i den situation kan ske, er, at en virusmutation, der indebærer en vis grad af resistens mod en given vaccine, pludselig er den bedst egnede til overlevelse, og derfor begynder at sprede sig. Virus muterer sikkert med samme hastighed som ellers, men da miljøet, den skal overleve i, har ændret sig, er der en ny faktor, der påvirker, hvem der er "fittest" i evolutionen. Det er igen *survival of the fittest*, der udspilles på mikrobe niveau.

Vi står altså i en situation, hvor WHO og regeringen anbefaler, at vi alle lader os vaccinere med vacciner, der - ud over at de kun er godkendte på dispensation, og som man ikke kender bivirkningsprofilerne af på sigt - formentligt vil kræve mere eller mindre hyppige revaccinationer for at have permanent virkning.

I forhold til, at vi har med en sygdom at gøre, som har haft en mortalitet på mindre end 0,3% under anden bølge, og hvor der kun for alvor er risiko for fatale forløb for en ganske afgrænset gruppe - nemlig mennesker med høj alder, der har bestemte kroniske sygdomme - må man stille spørgsmålet: Er det virkelig det, vi ønsker for fremtiden?

26
CO-van-VID?

Da jeg i foråret 2020 begyndte at blande mig i covid-debatten, mødte jeg massiv modstand, når jeg luftede synspunkter, der gik imod de omfattende restriktioner. På det tidspunkt købte langt de fleste tesen om, at covid var en uhyre farlig sygdom. Jeg blev beskyldt for at være parat til at gamble med folkesundheden, være forlystelsessyg og prioritere økonomi over menneskeliv.

Som månederne gik, og mange blev - ikke bare trætte af restriktionerne, der blev lovet skulle vare få uger, men som trak ud i uendeligheder – men også klar over, at covid19 var en langt mindre farlig sygdom end først antaget, begyndte flere og flere også at støtte op om mine synspunkter, når debatten kørte på de sociale medier.

Var man skeptisk overfor den førte strategi, lød spørgsmålet dog stadig: *"Men tror du virkelig, at man over hele verden kan tage fejl? Det er jo overalt, der indføres restriktioner."*

Svaret er, at man ikke på baggrund af stor tilslutning kan afgøre om noget er det rigtige. Hvis flertallet tager fejl her, er det ikke første gang i historien, det er sket. Vi har før oplevet, at det store flertal har bakket op om ideer og praksisser, vi efterfølgende skammer os over, eller som vi i det mindste ryster på hovedet af. Man kan nævne, at de første, der påstod Jorden var rund, oplevede stærke sanktioner fra magthavernes side. Sanktioner, der blev bakket op af den brede befolkning. Politisk kan vi jo se på nazisternes fremmarch i Tyskland i 1930'erne. Også deres parti blev valgt ind i Rigsdagen på demokratisk vis, havde bred folkelig opbakning, og de store folkeforsamlinger, der heilede for føreren, er senere blevet fremhævet som et skole-eksempel på massepsykose.

Men har der bredt sig en massepsykose i coronaens kølvand? Er der i virkeligheden tale om to pandemier – en, der er en luftvejsinfektion, og i dens kølvand en pandemisk massepsykose?

Man kan i alt fald sige, at ordet CO-van-VID, der blandt skeptikere af den førte strategi er blevet en yndet betegnelse for tilhængernes sindstilstand, indikerer, at i alt fald nogle synes, det er tilfældet.

En *rigtig* – klinisk - psykose er kendetegnet ved, at man har vrangforestillinger, proportionsforvrængninger og i visse tilfælde endda hallucinationer. Man kan spørge sig selv om, hvordan en psykiater (før 2020) ville have vurderet en person, der hævdede, at en sygdom, med en dødelighed på 0,3%, var en så stor trussel for folkesundheden, at hele samfundet skulle lukkes ned, og at virus skulle bekæmpes ubegrænset – uanset omkostningerne. Jeg er ret overbevist om, at det ikke ville være blevet tolket som et tegn på ubetinget mental sundhed.

Nu er det vigtigt at understrege, at termen massepsykose ikke betyder, at den enkelte ikke længere er mentalt rask. Det er en betegnelse for en folkestemning, hvor det er kollektivet – folket - der har fået vrangforestillinger.

Definitionen[39] på ordet massepsykose er: *"Fælles, ukritisk og følelsesladet opførsel hos en større gruppe mennesker på én gang - typisk som følge af fanatisk religiøs eller politisk propaganda."*

Folkestemningen skal altså være et resultat af fanatisk propaganda. Og det er her, man må stille spørgsmålet: Opfylder det seneste års udvikling i samfundet kriterierne for massepsykose? Har der i de daglige mantraer om kontakttal, dødstal, opgørelse af nysmittede, samt restriktioner, nedlukning af hele erhverv, udskamning af "de ufornuftige" og konstante opfordringer til test og vaccination, samt sidst men ikke mindst overgang[40] fra et proportionalitetsprincip til et ekstremt forsigtighedsprincip – kan disse tiltag ses som massiv politisk propaganda?

At der har været tale om en massiv propaganda, mener jeg er helt evident. Det, at man gik væk fra proportionalitetsprincippet til det *ekstreme forsigtighedsprincip* (Sundheds- og Ældreministeriets egen betegnelse) indikerer også noget ekstremistisk/fanatisk.

Vore dages elektroniske medier giver en platform for propaganda, der er uden sidestykke i historien. Har man først fået medierne tæmmet, så de ikke stiller kritiske spørgsmål, eller kan man som magthaver slippe afsted med kategorisk at undlade at besvare kritiske spørgsmål, har man i dag uanede muligheder for at manipulere med befolkningen. Begge dele har været tilfældet under corona-krisen; det er lykkedes regeringen at tæmme det meste af pressen, og de få bidske vagthunde, demokratiet stadig har haft tilbage iblandt journalis-

---

39 Den Danske Ordbog.

40 Finans.dk: Medier: Depardementschef bad Brostrøm om at tilsidesætte faglighed.

terne, har regeringen nægtet at besvare spørgsmål fra. Ja, det er endda kommet så vidt, at den har nægtet at stille op til samråd, som oppositionen i folketinget har indkaldt den til.

Situationen er at sidestille med, hvad der er sket i en række andre lande. Det er derfor, jeg rejser spørgsmålet, om det, der fulgte i coronaens kølvand i 2020, i virkeligheden er udtryk for en *pandemisk* massepsykose, initieret af WHO og udviklet af verdens førende politikere.

Det er vigtigt at huske på, at bliver man ramt af massepsykose, er man hverken vanvittig eller uintelligent. Man er et offer! Et offer for manipulation og propaganda.

Måske har nogle af de toneangivne politikere selv været ofre for manipulation ved krisens start i foråret 2020? Hvis det er lykkedes brodne kar i WHO at alarmere en stor del af dem til at tro, at der var tale om en meget alvorlig global sundhedskrise, der for enhver pris måtte afværges, og som blev årsag til omfattende - for befolkningen livskvalitetsforringende – indgreb, så er det svært bagefter at komme og indrømme, at man tog fejl. I Danmark oplevede vi endda, at et samlet folketing gav regeringspartiet carte blanche til at styre landet i et jerngreb via en hastegennemført epidemilov. Så er det heller ikke nemt for oppositionen at indrømme fejltagelsen, for derved skal man jo indrømme, at man har været blå-øjet – at man i situationen har manglet dømmekraft. Og hvor mange stemmer er der lige at høste i en indrømmelse af, at man har dårlig dømmekraft?

VI

Alternativer

27
Alternativ til vaccineinduceret flokimmunitet

"Men hvad er alternativet?", bliver jeg ofte spurgt, når jeg kritiserer den førte strategi. *"Skal vi bare vente i årevis på at bruge vaccinerne? Og vi kan jo ikke holde samfundet lukket til evig tid..."*

Først vil jeg lige minde om, at jeg på ingen måde er generel modstander af vaccinationer, men tværtimod ser vacciner generelt som en af lægevidenskabens mest geniale landvindinger. Det er blot massevaccination med vacciner, der ikke har gennemgået de normale test- og godkendelsesprocedurer, jeg finder forhastet og panik-agtig.

Så desperat synes jeg ikke, man behøver være for en sygdom med så lavt dødstal, og som oven i købet høster sine få ofre blandt den del af befolkningen, der i forvejen er ældst og med dårligst helbred. Jeg ville finde det forståeligt, hvis der var tale om en sygdom, der som MERS havde en dødelighed på 36% af de registrerede tilfælde[41]. Men her er der tale om en sygdom, hvor dødeligheden under anden bølge ligger 100-200 gange lavere.

---

41 Statens Seruminstitut (4): Human Coronavirus, Middle East Respiratory Syndrome (MERS) og Svær Akut Respiratorisk Syndrom (SARS).

Det er dog ikke ensbetydende med, at jeg mener, at man blot skal droppe al vaccination frem til vaccinerne kan opnå reel godkendelse i 2023. Men jeg mener, man skal bruge dem med omtanke ud fra en cost/benefit analyse, hvor man opvejer fordele mod ulemper. Det er f.eks. svært at se den store fordel ved at lade sig vaccinere, hvis man er 22 år, hvor risikoen[42] for at dø af covid er 0,006%, hvis man skulle blive smittet. Man skal hele tiden have i baghovedet, at der trods alt er tale om vacciner, der kun har kunnet opnå en foreløbig godkendelse på dispensation, og hvor vi ikke kender bivirkningerne til bunds. Et faktum, der blev understreget, da man i Danmark stoppede brugen af AstraZenecas vaccine i kølvandet på, at adskillige tilfælde af komplicerede blodpropper blev konstateret efter vaccination.

Noget anderledes ser det ud, hvis man har rundet de 80. Her er risikoen for at dø med covid, hvis man bliver smittet, steget til godt 8%. Her kan det ud fra en cost/benefit analyse måske være på sin plads at vaccinere, idet risikoen for at dø med covid er mere end 1000 gange højere end for den 22-årige.

Uanset hvad vi gør, så er eneste farbare vej hen imod at få covid19 til – ikke at forsvinde, for det kan vi ikke - men i det mindste at gå i dvale, at vi opnår flokimmunitet. Det kan gøres, enten ved at så mange har været udsat for smitten, at vi derigennem opnår flokimmunitet, eller ved at vaccinere så mange, at kontakttallet ligger stabilt under 1. Eller det er i alt fald de to muligheder, vi primært er blevet præsenteret for i medierne, hvor de er blevet sat op som hinandens modsætninger: Skulle vi gøre som i Sverige, hvor de begrænsede sig til så få og

---

42 Juhl, Joakim m. fl.: Hvor farlig er COVID-19 for danskerne, hvis vi justerer for alder?

så milde restriktioner som muligt for derved at lade smitten rase, indtil nok var blevet smittede til, at flokimmuniteten indfandt sig? Eller skulle vi forlade os på vaccinerne og derved hurtigst muligt begrænse smittespredningen til så få som muligt?

Mit svar er: Hvorfor ikke lave en kombi-model? Det virker oplagt, når vi står med en sygdom, der kun udgør en betydelig fare for en ganske begrænset del af befolkningen. Da vi ved, hvem der reelt er i fare ved covid smitte, virker det oplagt at begrænse tilbuddet af vacciner til dem. Man kunne evt. bruge de samme retningslinjer, som man har brugt i forhold til influenzavacciner: Tilbyde den til dem, der er fyldt 65, til personer med problematiske kroniske sygdomme samt til frontpersonel. For folk under 65 år er risikoen for at dø af covid meget begrænset – selv for de 60-64 årige er den mindre end 0,5%. Når dem, der har alvorlige kroniske sygdomme, er vaccinerede, vil den falde yderligere.

Ser vi på det faktiske antal covid dødsfald korreleret for alder i befolkningen som helhed,bliver den manglende proportionalitet mellem sygdommens alvor og anbefalinger af at vaccinere den samlede befolkning endnu mere tydelig: Oppositionspolitikeren Lars Bøje Mathisen har flittigt kritiseret regeringens corona strategi. På sin facebookprofil slog han i midten af april 21 en opgørelse over døde med covid under 65 op. Her fremgik det, at der i alt var 34 personer under 65, der var døde med covid i pandemiens første år. Ifølge ham svarer det til, at 34 ud af 4.663.773 personer er døde med covid. Det giver 0,00073% af befolkningen under 65. Til sammenligning var det 0,0025% af dem, der modtog AstraZenecas vaccine, der fik den alvorlige, livstruende blodpropsygdom, og vi har set et enkelt dødsfald blandt de ca. 150.000, der nåede at få vaccinen, inden den blev trukket ud af programmet. Det svarer til 0,00067%, hvilket er næsten den samme procentdel af befolkningen, som er døde med covid i aldersgruppen 0-65 år. Men 29 ud af de 34 havde havde underliggende komorbiditeter. De udgør altså 6/7 af de 0-65 årige, der indenfor pandemiens første år er døde med covid, selvom de kun udgør nogle få procent af befolkningen. Det betyder, at det for dem under 65, som ikke har underliggende kroniske sygdomme, må anses for at være ca. 5 gange så livsfarligt at tage imod vaccinen fra AstraZeneca, som det vil være at løbe risikoen for at få covid. Det endda forudsat, at virkningen af vaccinen varer mindst 12 måneder.

Men AstraZenecas vaccine blev jo også taget af programmet, vil du måske indvende. Ja, det blev den. Dens bivirkning blev så hurtigt synlig, at vi "kun" nåede at vaccinere små 150.000 med den. Men hvad med de andre vacciner. De er næppe bedre testede end AstraZenecas, og vi aner intet om, hvilke bivirkninger der vil komme for dagens lys om 3, 6 eller 12 måneder. Er det under de omstændigheder forsvarligt at anbefale dem til den brede befolkning? Eller er det i virkeligheden ren gambling med folkesundheden, når man gør det?

Jeg er helt enig i, at vi ikke kan holde samfundet lukket til evig tid. Det er der så sandelig heller ikke nogen grund til. Vi har at gøre med en sygdom, hvis dødelighed er sammenlignelig med influenzas, og samfundet burde aldrig have været lukket endsige plastret til med restriktioner under anden bølge, hvor man godt var blevet klar over, at Covid19 slet ikke var så alvorlig en sygdom som først antaget.

At man har holdt skolerne lukkede, er ren nonsens. Skolebørn får sjældent symptomer, og hvis de gør, er de milde. Der er selvfølgelig tilfælde af børn, der i tidlig alder har alvorlige kroniske sygdomme. Dem har der været grund til at isolere. Men resten – der ville det have været langt mere fornuftigt at lade dem fortsætte i skolen. Når børn smittes, udvikler de jo også antistoffer, og de tæller lige meget i statistikken i forhold til flokimmunitet – også ved symptomfrie forløb – som den 70-årige, der har måttet gennemgå et kompliceret forløb.

28
Opsummering

Vi har, siden marts 2020, befundet os i en regulær undtagelsestilstand udløst af covid19.

De tiltag, der udløstes ved pandemiens udbrud, er forståelige. Man havde på daværende tidspunkt meget lidt viden om sygdommen. Hvor alvorlig var den? Det vidste man stort set intet om, og rapporter fra Italien og senere USA gav grund til alvorlig bekymring. Så det var forståeligt, at man i første omgang forsøgte at inddæmme de udbrud af smitte, der var, omend man kan sige, at tiden allerede var forpasset for det, da sygdommen var erklæret pandemisk.

Hen over sommeren 2020 fik man gradvist større viden om sygdommen, og man skiftede fornuftigt nok fra inddæmnings-strategi til afbødnings-strategi. Det holdt dog kun kort – så skiftede man af umiddelbart uforståelige årsager tilbage til den inddæmnings-strategi, der normalt kun ville give mening, hvis der var tale om en lokal epidemi.

Årsagen blev synlig sidst på efteråret, hvor vi fik den overraskende nyhed, at der var vacciner på trapperne. Det var ellers først noget, man havde ventet ville ske et godt stykke ude i fremtiden, da udvikling, testning og godkendelse af en vaccine normalt tager mindst 4 år.

I den situation ville det mest fornuftige egentlig have været at skærme de mest sårbare – de ældre og de alvorligt syge – således at de undgik smitte indtil de kunne vaccineres. Alligevel valgte man at holde fast i den omsonste inddæmnings-strategi, suppleret af smittebremsende foranstaltninger som skolelukninger, nedlukning af store dele af erhvervslivet, samt – vel egentligt grundlovsstridige – forbud mod forsamlinger på over ganske få personer. I mellemtiden var de mundbind, man i starten af pandemien direkte havde frarådet brugen af, blevet obligatoriske – ikke bare i offentlig transport, men også ved andre dagligdags aktiviteter såsom indkøb. For at fastholde befolkningens opbakning til tiltagene, er man tyet til en stadigt mere skinger skræmme-retorik.

I foråret 2021 indførte man et corona pas, hvor statsministeren forventede, at befolkningen lod sig teste 2 gange ugentligt for til gengæld at *få lov til at generhverve* en række af deres helt basale, og i øvrigt grundlovssikrede, rettigheder. I alt fald indtil de lod sig vaccinere.

Her står vi så nu (maj 2021) hvor jeg skriver disse ord. Der er fra regeringens side lagt et massivt pres på befolkningen som helhed for at lade sig vaccinere med et præparat, der er udviklet på rekordtid, og som kun er godkendt på dispensation. Mange i min personlige omgangskreds har valgt at tage imod vaccinationstilbuddet – ikke så meget fordi, de er bange for covid længere, da mange har erkendt, at faren ved sygdommen er ganske begrænset for dem, men helt enkelt for at få deres borgerrettigheder igen. Det er i mine øjne en ganske dårlig grund til at modtage et eksperimentelt lægemiddel.

Trangen til at få deres basale rettigheder igen er imidlertid så stor, at de gerne lader sig vaccinere med en af de to tilbageværende vacciner – i skrivende stund er de to andre tidligere godkendte taget af programmet, da de alvorlige bivirkninger ved disse præparater allerede har vist sig for åbenlyst. Jeg undrer mig over, at de i den situation stadig kan have tillid til de to sidste vacciner, der jo er udviklet lige så hurtigt, og som har været gennem samme lemfældige godkendelsesprocedure.

Hvor vidt man vil tage imod vaccinen, er naturligvis en helt personlig sag. Med den øgede risiko, der er ved covid, hvis man har høj alder eller lider af særlige sygdomme, vil en cost/benefit analyse for en del mennesker falde ud til vaccinens fordel til trods for de usikkerheder, der på nuværende tidspunkt er forbundet med dem.

Personligt har jeg valgt at takke nej i første omgang. Jeg er endnu kun sidst i 50'erne, og i det mindste vil jeg vente og se, hvad langtidseffekterne er. Hvis det en gang med tiden viser sig, at man kommer over "børnesygdommene" ved de nye vaccineteknologier, og jeg selv er blevet så gammel, at jeg er kommet i risikogruppe, udelukker jeg ikke, at jeg til den tid vil lade mig vaccinere. Men så vil jeg jo også være kommet i det, jeg anser som en rimelig målgruppe for vaccinen.

Om du vælger vaccinen eller ej, er også helt op til dig. Det skal *du* bestemme ud fra *din* personlige cost/benefit analyse.

Dog vil jeg slutte af med et par formaninger til personer, der i mine øjne er helt udenfor målgruppen for så eksperimentelle lægemidler: Raske børn og unge.

Der tilbydes i skrivende stund mulighed for at springe vaccinekøen over, hvis man tager imod en af de ellers skrottede vacciner fra AstraZeneca eller Johnson & Johnson. Det er fristende for unge mennesker, der ellers martres med hyppige test for at få lov til at komme på deres uddannelser eller deltage i fritidsaktiviteter og byture. Mit råd er: Lad være! De restriktioner og pålæg, de unge udsættes for, er urimelige og unødvendige. Fristelsen til at springe over, hvor gærdet er lavest, og tage en af de ellers skrottede vacciner er stor og forståelig. Men det bør ikke få en til at vælge at sætte liv og fremtidigt helbred på spil. Risikoen for alvorlige covid-forløb er for unge næsten ikke-eksisterende. Det er risikoen ved at lade sig vaccinere bestemt *ikke*!

Endvidere søger producenterne for tiden godkendelse til brug af vaccinerne på børn. Pfizer er i skrivende stund ved at få en godkendelse igennem til aldersgruppen 12-16 år. Det er i mine øjne hamrende u-etisk. Børn får enten symptomfrie eller milde forløb, hvis de smittes med covid. Vi aner intet om, hvordan vaccinerne påvirker immunforsvaret på sigt, og børnene har jo et langt liv foran sig, hvor de gerne skulle have et sundt og velfungerende immunforsvar.

Derfor er mit råd til voksne: Vurder ud fra en cost/benefit analyse, om du mener, vaccinen er værd at tage. Men er dit barn i øvrigt sundt og raskt, så spring vaccinen over her. Følg meget gerne det øvrige børnevaccinationsprogram, men udsæt det ikke for en af de nye, nød-godkendte covid vacciner.

Kilder

Benn, Christine Stabell: Samfundstanker. Link: https://www.youtube.com/watch?v=qBNiiDb4ZlA

Bloomberg: COVID-19 was already in the U.S. by December 2019, study says. Link: https://fortune.com/2020/12/01/december-2019-covid-arrival-us/

BMJ 17/9-2020: *Covid-19: Do many people have pre-existing immunity?*
Link:
https://www.bmj.com/content/370/bmj.m3563?fbclid=IwAR3wsLGkV8aQrKKq9yODrYwGY6BegScifV1TZeXf6SaXd9GRybeN6fhWUKo

Centers for Disease Control and Prevention: https://www.cdc.gov/coronavirus/2019-ncov/vaccines/different-vaccines/mrna.html

Center for selvmordsforskning: Statistik. Link: https://statistik.selvmordsforskning.dk/

Corum, J. and Zimmer, C.: How the Jonson & Johnson Vaccine Works. Link: https://www.nytimes.com/interactive/2020/health/johnson-johnson-covid-19-vaccine.html

Den offentlige: Læger: Jobcentre kan drive borgere på selvmordets rand. Link: https://www.denoffentlige.dk/laeger-jobcentre-kan-drive-borgere-paa-selvmordets-rand

Danmarks Statistik: Husstande. Link: https://www.dst.dk/da/Statistik/emner/befolkning-og-valg/husstande-familier-boern/husstande

Den Danske Ordbog: Massepsykose. Link: https://ordnet.dk/ddo/ordbog?query=massepsykose

Echols, William: Was a Bangkok Market the Original Coronavirus Source? Link: https://www.polygraph.info/a/fact-check-thailand-origin-coronavirus-pandemic/31126395.html

Facebook - Informationscenter for covid. Link: https://www.facebook.com/coronavirus_info/facts/447959699681843

Finans.dk: Medier: Depardementschef bad Brostrøm om at tilsidesætte faglighed. Link: https://finans.dk/politik/ECE12176878/medier-departementschef-bad-brostroem-om-at-tilsidesaette-faglighed/?ctxref=ext

Finanzen.net. Pfizer. Link: https://www.finanzen.net/chart/pfizer
Moderna Link: https://www.finanzen.net/chart/moderna

Frank, Lone: Dræber nedlukningen flere end den redder? Link: https://www.weekendavisen.dk/2021-7/samfund/draeber-nedlukningen-flere-end-den-redder

Furu, Sonja: At bremse en bølge. Link: https://www.weekendavisen.dk/2020-22/ideer/at-bremse-en-boelge

Henriksen, Lisbeth Riisager, & Møller, Lena Dahl: Vi frygter, at jobcentrene bidrager til selvmord. Link: https://www.altinget.dk/social/artikel/kronik-vi-frygter-at-jobcentrene-bidrager-til-selvmord

Hoffmann, Thomas: "Skandalesag": WHO tester malariavaccine uden samtykke fra børn og forældre. Link: https://videnskab.dk/krop-sundhed/skandalesag-who-tester-malariavaccine-uden-samtykke-fra-boern-og-foraeldre

Hüttel, Hans: Covid-1889? Link: http://www.hanshuttel.dk/wordpress/2020/08/16/covid-1889/

Immun Defekt Foreningen: http://idf.dk/immunsystemet/immunforsvaret

Indenrigs- og boligministeriet: Tiltag til at reducere smitteudvikling i Nordjylland. Link:

https://sim.dk/media/40528/tiltag_til_reduktion_af_smitteudvikling_i_nordjylland_t.pdf

Jacobsen, Sine Bach: Nyt studie: Influenza kan give blodprop - sådan undgår du at blive ramt. Link: https://www.bt.dk/sygdomme/nyt-studie-influenza-kan-give-blodprop-saadan-undgaar-du-at-blive-ramt

Juhl, Joakim m. fl.: Hvor farlig er COVID-19 for danskerne, hvis vi justerer for alder? Link: https://videnskab.dk/forskerzonen/krop-sundhed/hvor-farlig-er-covid-19-for-danskerne-hvis-vi-justerer-for-alder

Kristiansen, C. L., Skærbæk, M., Nissen, M.: Trods foto af taleudkast: Mette Frederiksen afviser udskamning. Link: https://politiken.dk/indland/art7769645/Mette-Frederiksen-afviser-udskamning

Kræftens bekæmpelse: https://www.cancer.dk/hpv-vaccine/gennemproevet-vaccine/udvikling-af-ny-medicin-og-vacciner/

https://www.cancer.dk/nyheder/kraeftens-bekaempelse-bekymrende-fald-i-nye-kraeftdiagnoser-under-corona-krise/

Kristensen, Pernille Kjeldgaard: Forskere opfordrer WHO til at undersøge, om corona er overført fra et laboratorie ved en fejl. Link: https://www.dr.dk/nyheder/viden/kroppen/forskereopfordrer-who-til-undersoege-om-corona-er-overfoert-fra-et

Kwong, Jeffrey C. m.fl.: Acute Myocardial Infarction after Laboratory-Confirmed Influenza Infection. Link: https://www.nejm.org/doi/full/10.1056/NEJMoa1702090

Mundell, Ernie: Moderna COVID vaccine offers protection for at least 6 months, study finds. Link: https://medicalxpress.com/news/2021-04-moderna-covid-vaccine-months.html

Mørk, Pelle Lykkebo: 60 procent større risiko for indlæggelse med britisk mutation. Link: https://nyheder.tv2.dk/politik/2021-02-24-60-procent-stoerre-risiko-for-indlaeggelse-med-britisk-mutation

Nissen, J. B., Højgaard, D. R. M. A. og Thomsen P. H.: The immidiate effect of COVID-19 pandemic on children and adolescent with obsessive compulsive disorder. Link: https://bmcpsychiatry.biomedcentral.com/track/pdf/10.1186/s12888-020-02905-5.pdf

Poulsen, Louise Andresen: Stort dansk studie tester corona-vaccine. Link: https://www.rigshospitalet.dk/presse-og-nyt/nyheder/nyheder/Sider/2021/januar/stort-dansk-studie-tester-corona-vaccine.aspx

Rizau: Det overrasker ikke WHO, at der allerede i december sidste år muligvis florerede coronavirus i

Frankrig. Link: https://www.avisen.dk/who-fransk-coronatilfaelde-fra-2019-er-ikke-overrask_598082.aspx

Ros, Inger: Overlæge: I mit arbejde på den psykiatriske akutmodtagelse i København ser jeg de sande ofre for covid-19-pandemien. Link: https://www.berlingske.dk/kronikker/overlaege-i-mit-arbejde-paa-den-psykiatriske-akutmodtagelse-i-koebenhavn

Rosenqvist, Erna Bojesen: Selvmord blandt unge kvinder er det højeste i 20 år: "Det er bekymrende, at vi har så lidt information. Link: https://www.dr.dk/nyheder/indland/selvmord-blandt-unge-kvinder-er-det-hoejeste-i-20-aar-det-er-bekymrende-vi-har-saa

Statens Seruminstitut.
Links: 1) https://www.ssi.dk/aktuelt/sygdomsudbrud/arkiv/ebolatema
2) https://www.ssi.dk/aktuelt/sygdomsudbrud/arkiv/ebolatema/sporgsmaal-og-svar
3) https://www.ssi.dk/aktuelt/nyheder/2020/9500-danske-covid-19-patienter-kortlagt-for-forste-gang
4) Human Coronavirus, Middle East Respiratory Syndrome (MERS) og Svær Akut Respiratorisk Syndrom (SARS). Link: https://www.ssi.dk/sygdomme-beredskab-og-forskning/sygdomsleksikon/h/corona-mers-sars

Statsministeriet: Pressemøde 16. december 2020. Link: https://www.stm.dk/presse/pressemoedearkiv/pressemoede-den-16-december-2020/

Sundhedspolitisk Tidsskrift: Corona: Alders- og kønsfordeling på døde i DK. Link: https://sundhedspolitisktidsskrift.dk/grafik/3242-corona-alders-og-konsfordeling-pa-dode-i-dk.html

The Guardian: https://www.theguardian.com/world/2020/dec/29/who-warns-covid-19-pandemic-is-not-necessarily-the-big-one

Thomsen, Claus Blok: Dyremarked i Bangkok kan være det sted, der bragte corona til Wuhan. Link: https://politiken.dk/udland/art8108617/Dyremarked-i-Bangkok-kan-v%C3%A6re-det-sted-der-bragte-corona-til-Wuhan

TV2: 450.000 flere end normalt døde i EU mellem marts og november. Link: https://nyheder.tv2.dk/2021-02-17-450000-flere-end-normalt-dode-i-eu-mellem-marts-og-november

Ugeavisen: WHO kalder flokimmunitet som coronastrategi for uetisk. Link: https://ugeavisen.dk/udland/artikel/who-kalder-flokimmunitet-som-coronastrategi-for-uetisk

Vaccinespecialisten: http://www.vaccinespecialisten.dk/infektionssygdomme

-og-vacciner/diverse/2-uncategorised/1091-levende-svaekkede-vacciner

WHO: Statement on Narcolepsy and Pandemrix. Link: https://www.who.int/vaccine_safety/committee/topics/influenza/pandemic/h1n1_safety_assessing/narcolepsy_statement_Jul2011/en/

Wikipedia: Cluster 5. Link: https://da.wikipedia.org/wiki/Cluster_5
Hart Island. Link: https://da.wikipedia.org/wiki/Hart_Island

Worldometers. Link: https://www.worldometers.info/coronavirus/country/denmark/

CPSIA information can be obtained
at www.ICGtesting.com
Printed in the USA
LVHW012310210621
690829LV00016B/1369